1일 10분

초등 메가 어휘력

초등 1~2학년

1권

자기 주도 학습력을 기르는 1일 10분 공부 습관!

공부가 쉬워지는 힘, 자기 주도 학습력!

자기 주도 학습력은 스스로 학습을 계획하고, 계획한 대로 실행하고, 결과를 평가하는 과정에서 향상됩니다.
이 과정을 매일 반복하여 훈련하다 보면 주체적인 학습이 가능해지며 이는 곧 공부 자신감으로 연결됩니다.

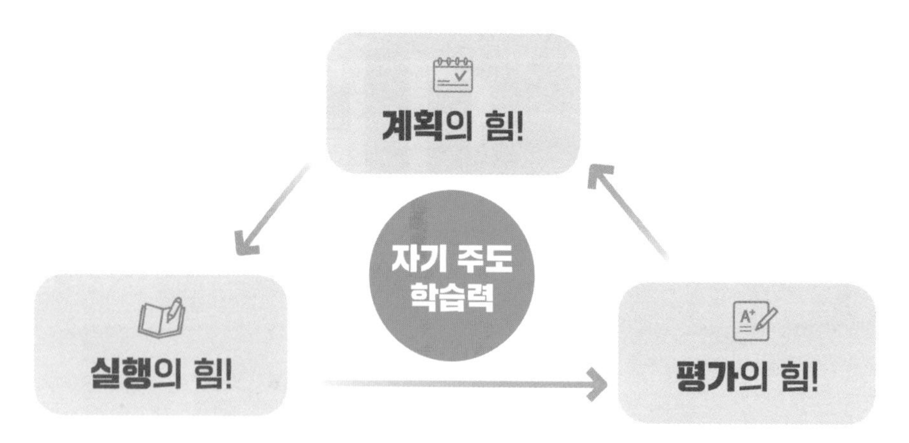

1일 10분 시리즈의 3단계 학습 로드맵

〈1일 10분〉 시리즈는 계획, 실행, 평가하는 3단계 학습 로드맵으로 자기 주도 학습력을 향상시킵니다.
또한 1일 10분씩 꾸준히 학습할 수 있는 **부담 없는 학습량으로 매일매일 공부 습관이 형성**됩니다.

1단계 학습 계획하기

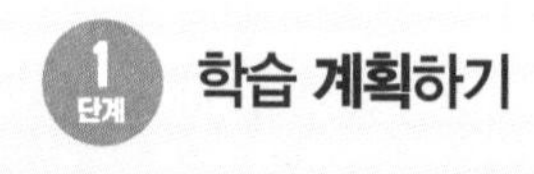

주 단위로 학습 목표를 확인하고 학습할 날짜를 스스로 계획하는 과정에서 자기 주도 학습력이 향상됩니다.

2단계 학습 실행하기

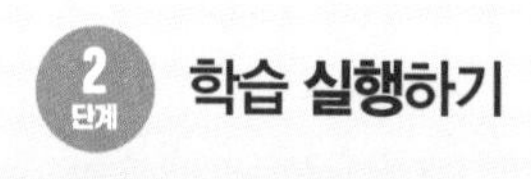

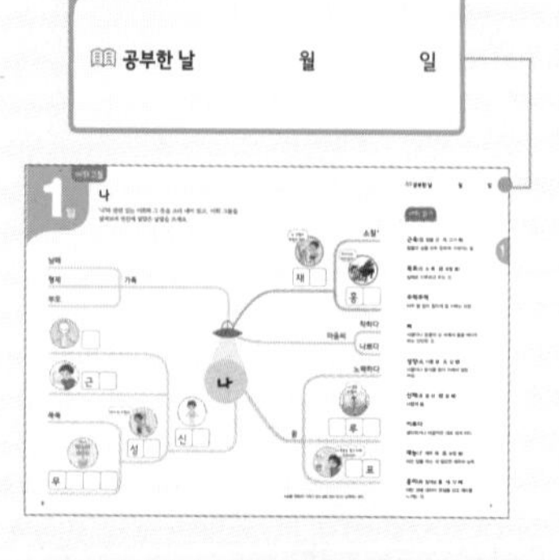

1일 10분 주 5일 매일 일정 분량 학습으로, 초등 학습의 기초를 탄탄하게 잡는 공부 습관이 형성됩니다.

3단계 결과 평가하기

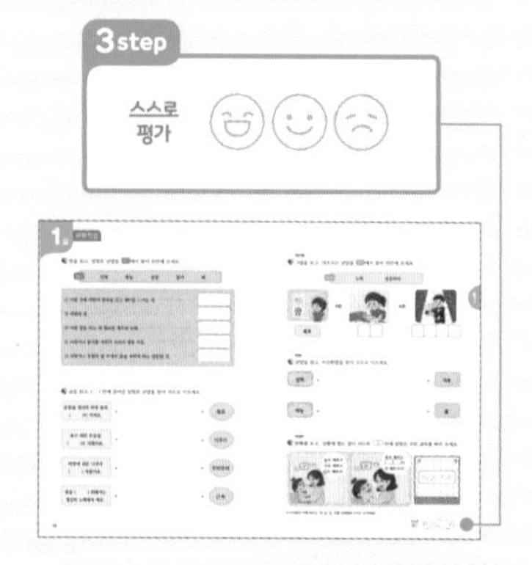

학습을 완료하고 계획대로 실행했는지 스스로 진단하며 성취감과 공부 자신감이 길러집니다.

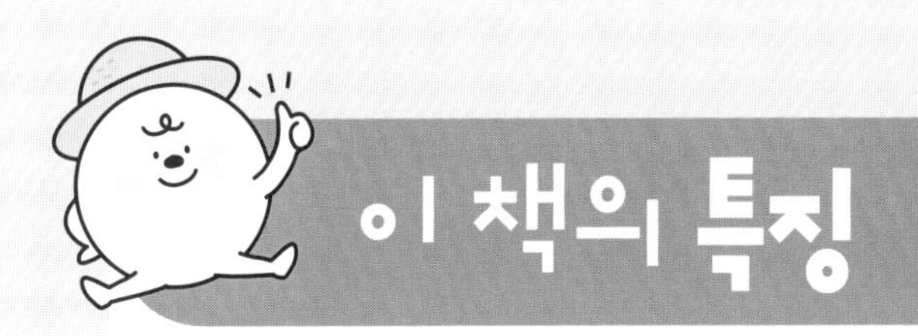

마인드맵으로 배우는 교과 어휘

초등 메가 어휘력

마인드맵을 활용하여 어휘를 효과적으로 학습합니다.

마인드맵은 영국의 두뇌학자인 토니 부잔(Tony Buzan)이 만든 시각적인 사고 도구(Visual Thinking)로, 좌뇌와 우뇌를 동시에 사용하여 자신의 생각을 지도를 그리듯 이미지화한 것입니다. 전문가들은 마인드맵을 활용하면 어휘를 깊이 있게 이해하고 더 오래 기억할 수 있다고 말합니다. 〈1일 10분 초등 메가 어휘력〉은 주제를 중심으로 어휘 사이의 관계를 이해하고 사고력, 창의력, 기억력을 높여 어휘를 효과적으로 학습할 수 있도록 합니다.

교과 선정 어휘로 구성하여 교과 학습을 도와줍니다.

〈1일 10분 초등 메가 어휘력〉은 초등 교과를 바탕으로 선정한 주제와 그와 관련된 어휘들로 이루어져 있습니다. 교과에서 선정한 어휘를 주제별로 묶어, 주제를 중심으로 어휘를 학습하면서 자연스러운 교과 학습뿐 아니라 교과목을 넘나드는 융합적인 어휘력을 기를 수 있습니다.

다양한 어휘 활동으로 어휘력을 향상시켜 줍니다.

무작정 외우는 학습법으로는 어휘를 다양하게 활용할 수 없습니다. 〈1일 10분 초등 메가 어휘력〉은 어휘와 어휘 사이의 관계를 파악하고 다양한 쓰임새를 학습하도록 구성하였습니다. 학습 어휘를 바탕으로 연상 어휘, 유의어, 반의어, 한자어, 상위어, 하위어, 속담, 관용구, 사자성어 등 다양한 문제를 제공하여 어휘력을 향상시키는 동시에 사고력도 키워 줍니다.

자기 주도적인 공부 습관을 길러 줍니다.

아이 스스로 공부할 수 있도록 이끌어 주려면 아이가 소화할 수 있는 학습량을 제시해 주어야 합니다. 〈1일 10분 초등 메가 어휘력〉은 1일 4쪽 분량으로 아이 혼자서도 부담 없이 재미있게 공부할 수 있도록 구성되어 있습니다. 어휘 그물을 채우고 문제를 푸는 반복적인 과정을 통해 어휘를 익히고, 스스로 어휘 그물을 그려 보며 자기 주도적인 공부 습관을 기를 수 있게 도와줍니다.

이 책의 구성

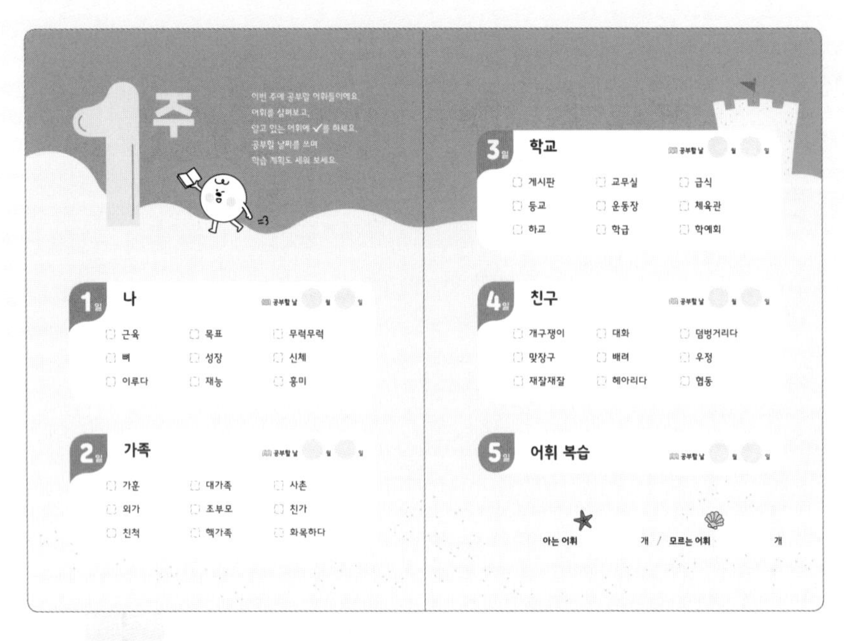
1주

이번 주에 공부할 어휘들이에요.
어휘를 살펴보고,
알고 있는 어휘에 ✓를 하세요.
공부할 날짜를 쓰며
학습 계획도 세워 보세요.

1일 나 (공부할 날 월 일)
- 근육 / 목표 / 무럭무럭
- 뼈 / 성장 / 신체
- 이루다 / 재능 / 흥미

2일 가족 (공부할 날 월 일)
- 가훈 / 대가족 / 사촌
- 외가 / 조부모 / 친가
- 친척 / 핵가족 / 화목하다

3일 학교 (공부할 날 월 일)
- 게시판 / 교무실 / 급식
- 등교 / 운동장 / 체육관
- 하교 / 학급 / 학예회

4일 친구 (공부할 날 월 일)
- 개구쟁이 / 대화 / 덤벙거리다
- 맞장구 / 배려 / 우정
- 재잘재잘 / 헤아리다 / 협동

5일 어휘 복습 (공부할 날 월 일)

아는 어휘 개 / 모르는 어휘 개

어휘 미리보기

본격적으로 학습하기 전에 주별 학습 어휘 주제를 미리 살펴봅니다. 아는 어휘와 모르는 어휘가 각각 얼마나 되는지 체크합니다.

어휘 그물

어휘의 설명을 읽고, 마인드맵 형식으로 표현한 어휘 그물의 빈칸을 채우며 주제별 어휘를 학습합니다. 어휘 그물의 학습 어휘는 생활과 밀접한 생활 어휘와 초등학교 교과에서 주요하게 다루는 어휘로 선정하였습니다.

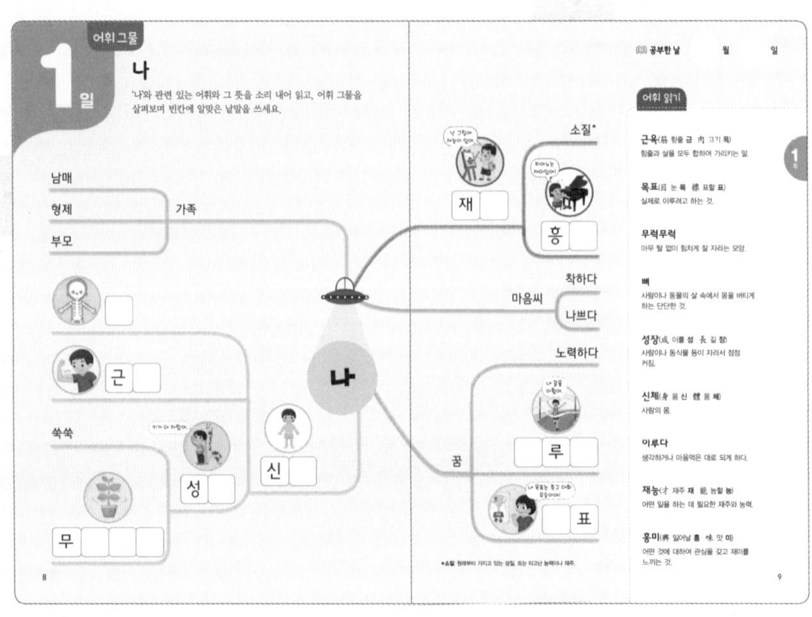
어휘그물

1일 나

'나'와 관련 있는 어휘와 그 뜻을 소리 내어 읽고, 어휘 그물을 살펴보며 빈칸에 알맞은 낱말을 쓰세요.

공부한 날 월 일

어휘 읽기

근육(筋 힘줄 근 肉 고기 육) 힘줄과 살을 모두 합하여 가리키는 말.

목표(目 눈 목 標 표할 표) 실제로 이루려고 하는 것.

무럭무럭 아무 탈 없이 힘차게 잘 자라는 모양.

뼈 사람이나 동물의 살 속에서 몸을 버티게 하는 단단한 것.

성장(成 이룰 성 長 길 장) 사람이나 동식물 등이 자라서 점점 커짐.

신체(身 몸 신 體 몸 체) 사람의 몸.

이루다 생각하거나 마음먹은 대로 되게 하다.

재능(才 재주 재 能 능할 능) 어떤 일을 하는 데 필요한 재주와 능력.

흥미(興 일어날 흥 味 맛 미) 어떤 것에 대하여 관심을 갖고 재미를 느끼는 것.

8 9

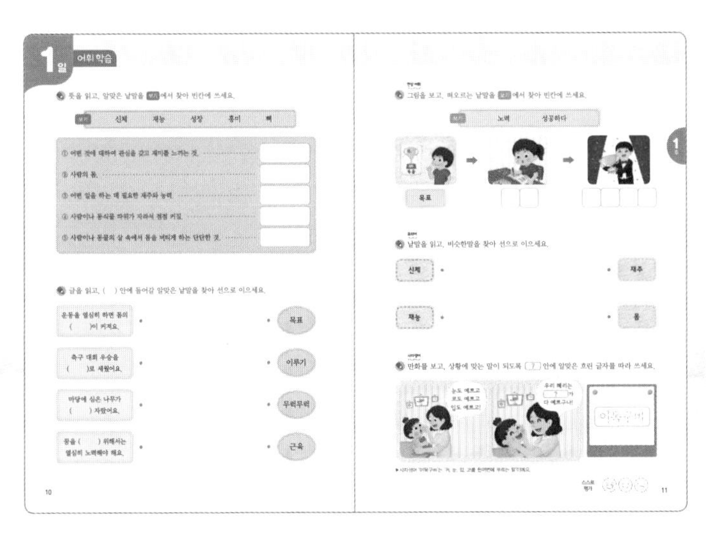

어휘 학습

문장 속에서 어휘를 활용한 문제, 어휘의 뜻을 명확하게 인지하는 문제로 확실하게 어휘를 익힙니다. 학습 어휘를 중심으로 연상 어휘, 비슷한말, 반대말, 포함하는 말, 포함되는 말을 배우며 어휘 간의 관계를 파악하고 어휘의 범위를 확장시킵니다. 속담, 사자성어, 관용구에 대해서도 알아봅니다.

어휘 복습

1~4일에서 학습한 어휘를 교과별로 분류하여 문제를 풀어 봅니다. 앞에서 배운 어휘의 뜻을 제대로 이해했는지 복습하고, 교과별로 새로 나온 어휘도 익혀 봅니다. 동시, 일기 형태의 다양한 글을 읽으며 앞에서 학습한 어휘를 익혀 봅니다.

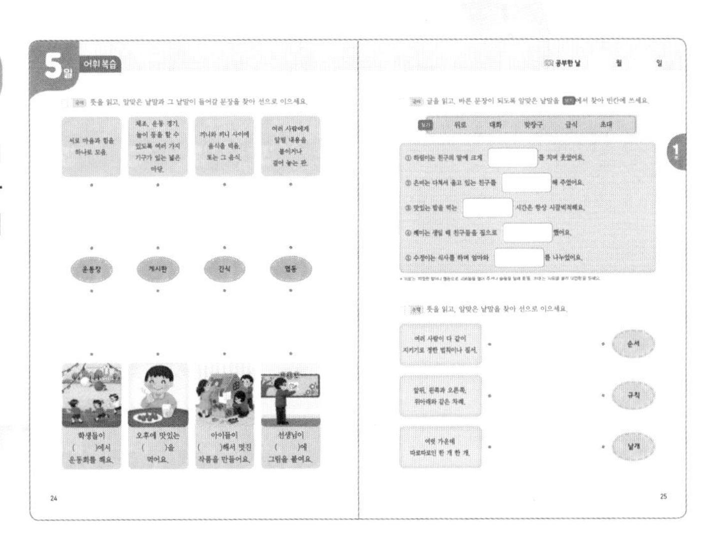

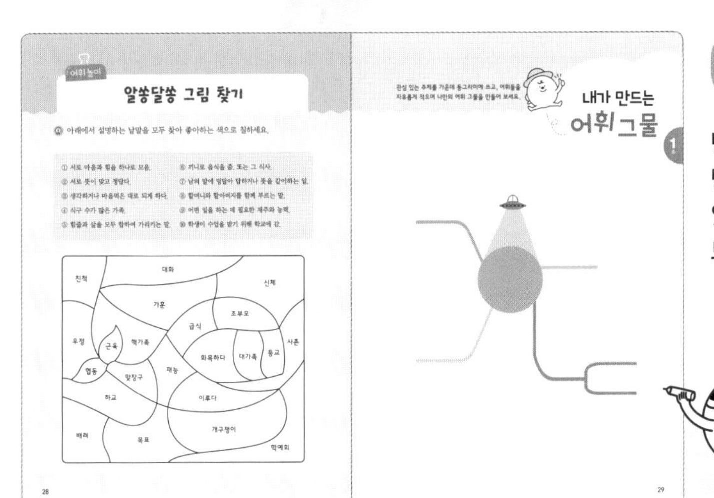

어휘 놀이 + 내가 만드는 어휘 그물

빈 곳에 들어갈 낱말 찾기, 숨어 있는 그림 찾기, 낱말 퍼즐, 빙고 등의 재미있는 놀이로 학습 어휘를 확인합니다. 관심 있는 주제와 관련 어휘들을 자유롭게 적어 나만의 어휘 그물도 만들어 봅니다.

1일 나

공부할 날 월 일

- [ ] 근육
- [ ] 목표
- [ ] 무럭무럭
- [ ] 뼈
- [ ] 성장
- [ ] 신체
- [ ] 이루다
- [ ] 재능
- [ ] 흥미

2일 가족

공부할 날 월 일

- [ ] 가훈
- [ ] 대가족
- [ ] 사촌
- [ ] 외가
- [ ] 조부모
- [ ] 친가
- [ ] 친척
- [ ] 핵가족
- [ ] 화목하다

3일 학교

공부할 날 월 일

- [ ] 게시판
- [ ] 교무실
- [ ] 급식
- [ ] 등교
- [ ] 운동장
- [ ] 체육관
- [ ] 하교
- [ ] 학급
- [ ] 학예회

4일 친구

공부할 날 월 일

- [ ] 개구쟁이
- [ ] 대화
- [ ] 덤벙거리다
- [ ] 맞장구
- [ ] 배려
- [ ] 우정
- [ ] 재잘재잘
- [ ] 헤아리다
- [ ] 협동

5일 어휘 복습

공부할 날 월 일

아는 어휘 개 / 모르는 어휘 개

어휘 그물

1일 나

'나'와 관련 있는 어휘와 그 뜻을 소리 내어 읽고, 어휘 그물을 살펴보며 빈칸에 알맞은 낱말을 쓰세요.

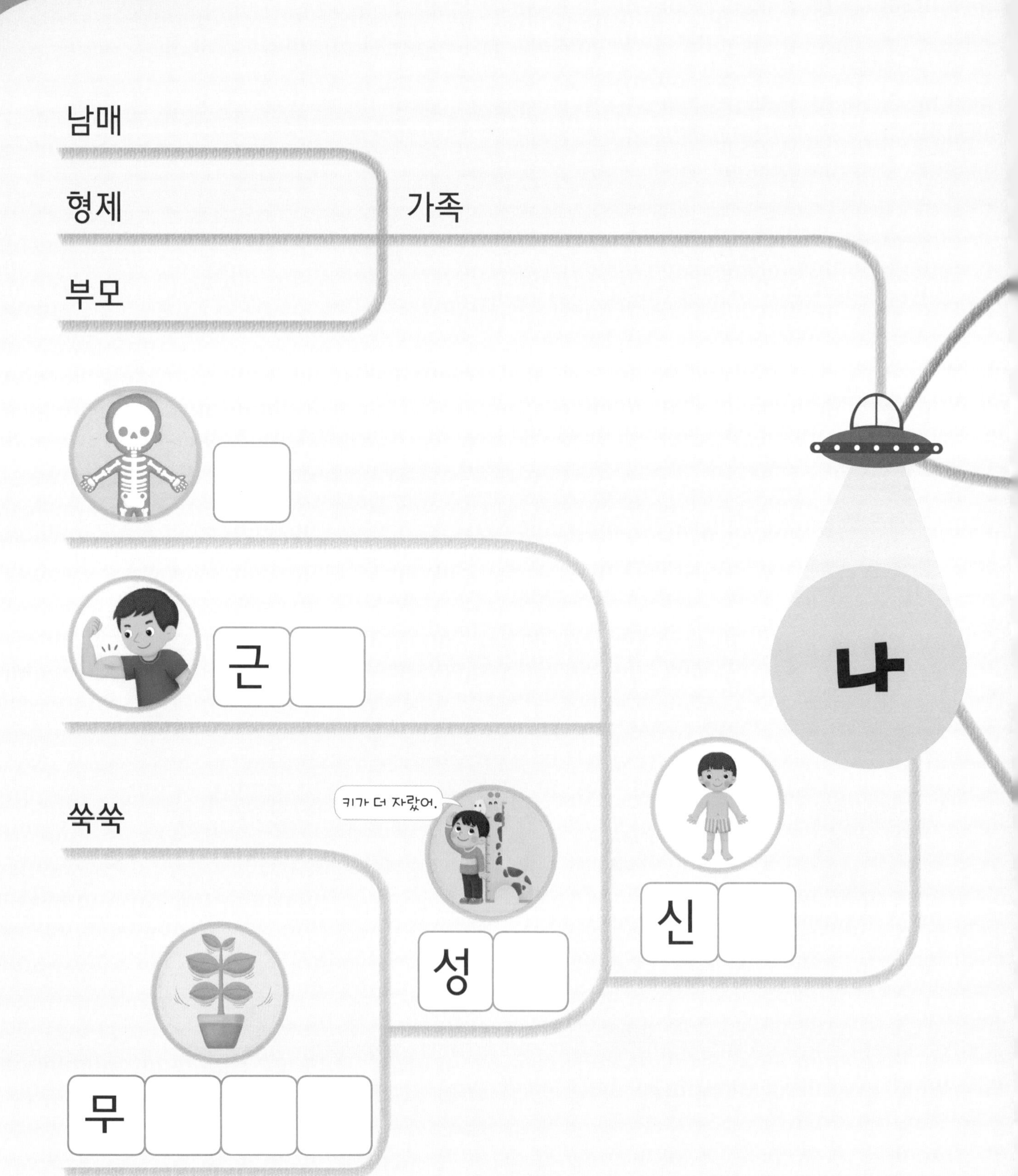

소질*

착하다

마음씨

나쁘다

노력하다

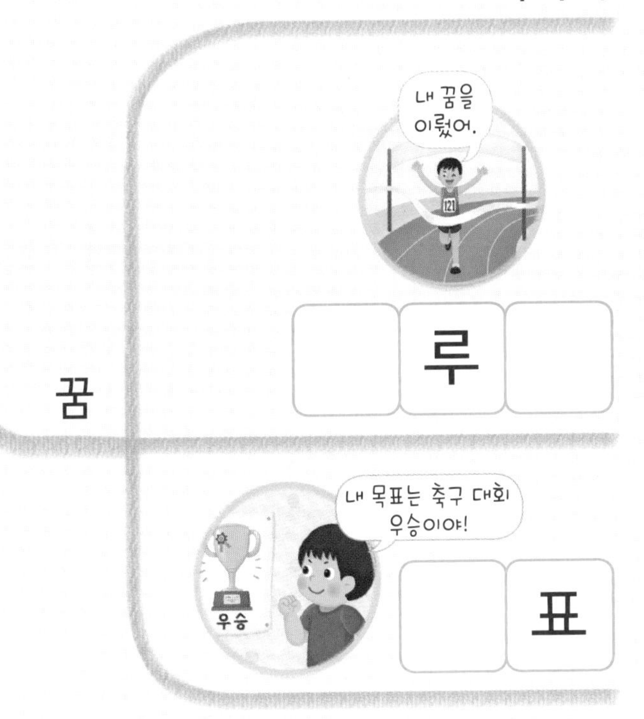

*소질: 원래부터 가지고 있는 성질. 또는 타고난 능력이나 재주.

어휘 읽기

근육(筋 힘줄 **근** 肉 고기 **육**)
힘줄과 살을 모두 합하여 가리키는 말.

목표(目 눈 **목** 標 표할 **표**)
실제로 이루려고 하는 것.

무럭무럭
아무 탈 없이 힘차게 잘 자라는 모양.

뼈
사람이나 동물의 살 속에서 몸을 버티게 하는 단단한 것.

성장(成 이룰 **성** 長 길 **장**)
사람이나 동식물 등이 자라서 점점 커짐.

신체(身 몸 **신** 體 몸 **체**)
사람의 몸.

이루다
생각하거나 마음먹은 대로 되게 하다.

재능(才 재주 **재** 能 능할 **능**)
어떤 일을 하는 데 필요한 재주와 능력.

흥미(興 일어날 **흥** 味 맛 **미**)
어떤 것에 대하여 관심을 갖고 재미를 느끼는 것.

1일 어휘 학습

뜻을 읽고, 알맞은 낱말을 보기 에서 찾아 빈칸에 쓰세요.

보기 신체 재능 성장 흥미 뼈

① 어떤 것에 대하여 관심을 갖고 재미를 느끼는 것. ....

② 사람의 몸. ....

③ 어떤 일을 하는 데 필요한 재주와 능력. ....

④ 사람이나 동식물 따위가 자라서 점점 커짐. ....

⑤ 사람이나 동물의 살 속에서 몸을 버티게 하는 단단한 것. ....

글을 읽고, (　　) 안에 들어갈 알맞은 낱말을 찾아 선으로 이으세요.

운동을 열심히 하면 몸의 (　　　)이 커져요.	목표
축구 대회 우승을 (　　　)로 세웠어요.	이루기
마당에 심은 나무가 (　　　) 자랐어요.	무럭무럭
꿈을 (　　　) 위해서는 열심히 노력해야 해요.	근육

연상 어휘

그림을 보고, 떠오르는 낱말을 보기 에서 찾아 빈칸에 쓰세요.

보기 노력 성공하다

유의어

낱말을 읽고, 비슷한말을 찾아 선으로 이으세요.

사자성어

만화를 보고, 상황에 맞는 말이 되도록 ? 안에 알맞은 흐린 글자를 따라 쓰세요.

▶사자성어 '이목구비'는 '귀, 눈, 입, 코를 한꺼번에 부르는 말'이에요.

스스로 평가

어휘 그물

2일 가족

'가족'과 관련 있는 어휘와 그 뜻을 소리 내어 읽고, 어휘 그물을 살펴보며 빈칸에 알맞은 낱말을 쓰세요.

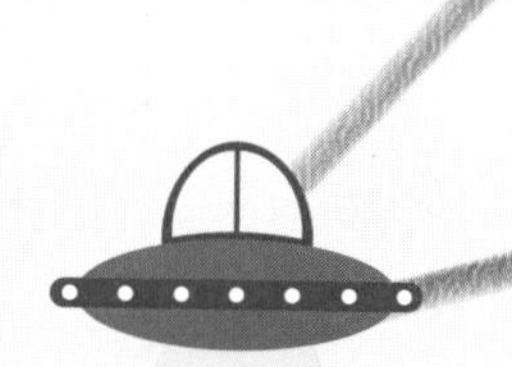

가족

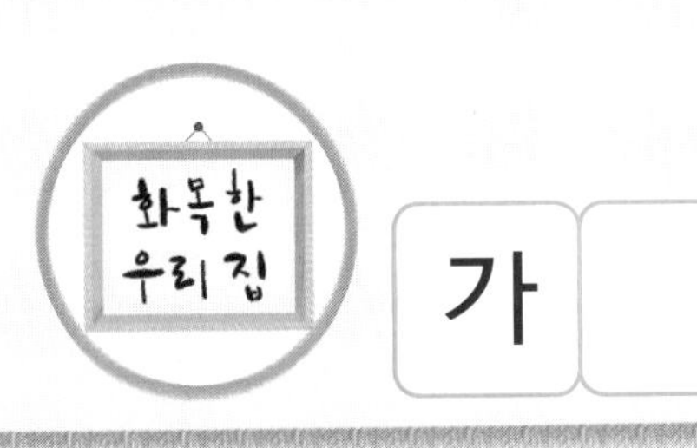

아파트

집

주택

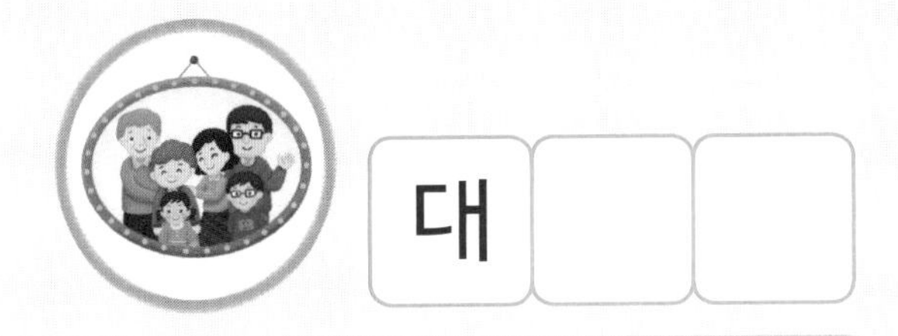

어휘 읽기

가훈(家 집 **가** 訓 가르칠 **훈**)
한 집안의 조상이나 어른이 자식과 손자들에게 주는 가르침.

대가족
(大 큰 **대** 家 집 **가** 族 겨레 **족**)
식구 수가 많은 가족.

사촌(四 넷 **사** 寸 마디 **촌**)
아버지 형제자매의 아들이나 딸과의 관계.

외가(外 바깥 **외** 家 집 **가**)
어머니의 부모, 형제들이 살고 있는 집. 또는 어머니의 부모, 형제들을 합해서 부르는 말.

조부모
(祖 조상 **조** 父 아버지 **부** 母 어머니 **모**)
할머니와 할아버지를 함께 부르는 말.

친가(親 친할 **친** 家 집 **가**)
아버지의 부모, 형제들을 합해서 부르는 말.

친척(親 친할 **친** 戚 친척 **척**)
같은 조상으로부터 태어난 가족이나 결혼으로 이어진 사람의 가족.

핵가족
(核 씨 **핵** 家 집 **가** 族 겨레 **족**)
한 쌍의 부부와 결혼을 하지 않은 자녀만으로 이루어진 가족.

화목(和 화할 **화** 睦 화목할 **목**)**하다**
서로 뜻이 맞고 정답다.

뜻을 읽고, 알맞은 낱말을 찾아 선으로 이으세요.

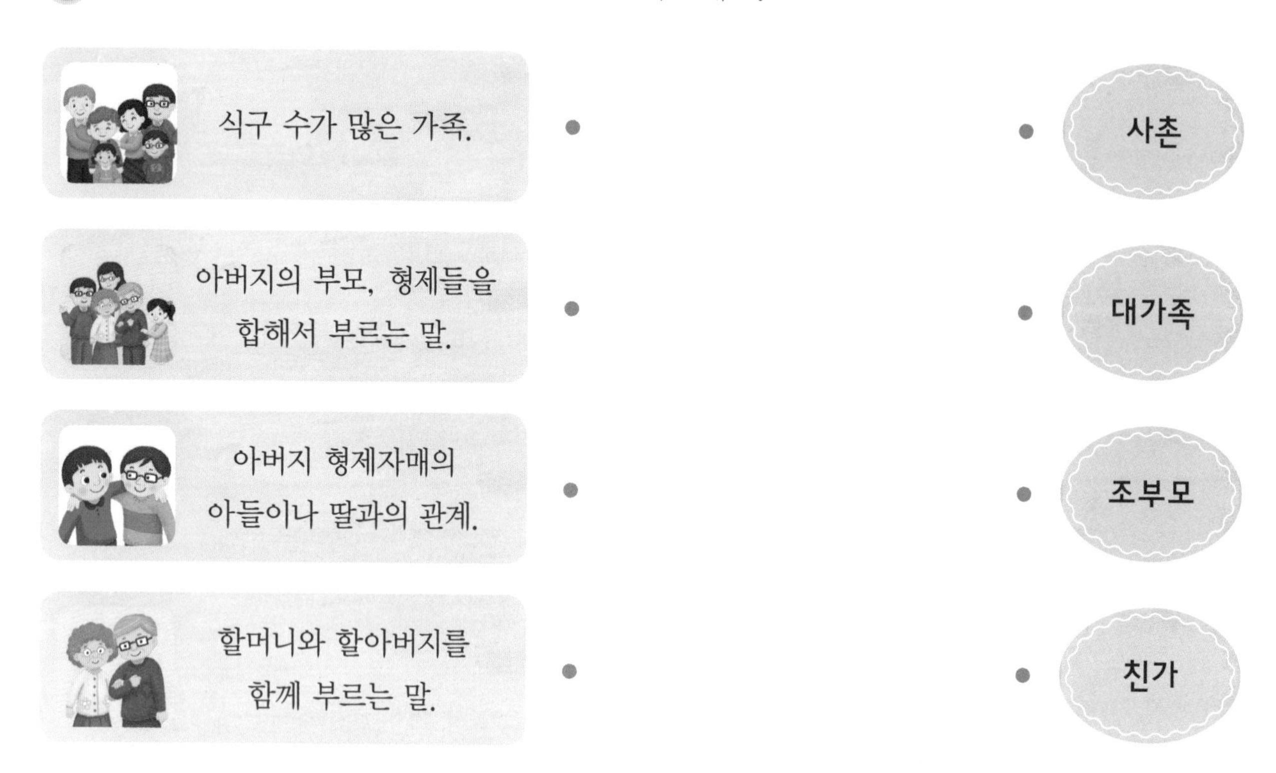

글을 읽고, 바른 문장이 되도록 알맞은 낱말을 보기 에서 찾아 빈칸에 쓰세요.

보기 화목해서 외가 가훈 핵가족 친척

① 우리 집은 엄마, 아빠, 나 셋이서 사는 ( ) 이에요.

② 우리 집 ( ) 은 '정직'이에요.

③ 내일은 부모님과 함께 외할머니와 외할아버지를 뵈러 ( ) 에 가요.

④ 명절에는 많은 ( ) 들이 한자리에 모여 밥을 먹어요.

⑤ 서영이네 가족은 ( ) 언제나 웃음소리가 끊이지 않아요.

상위어

낱말을 읽고, 포함하는 말을 보기 에서 찾아 빈칸에 쓰세요.

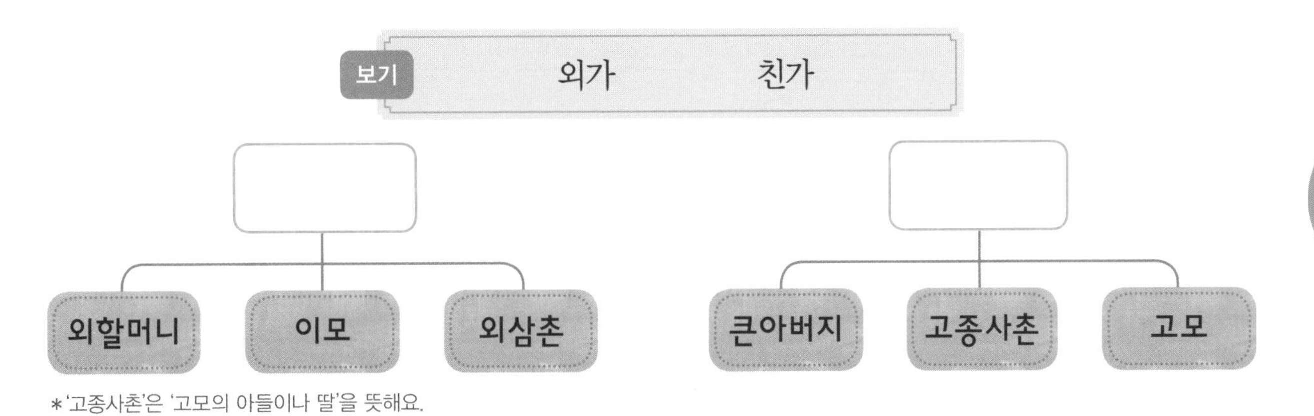

*'고종사촌'은 '고모의 아들이나 딸'을 뜻해요.

한자어

'대(大)'와 '가(家)'의 뜻을 읽고, 알맞은 낱말을 보기 에서 찾아 빈칸에 쓰세요.

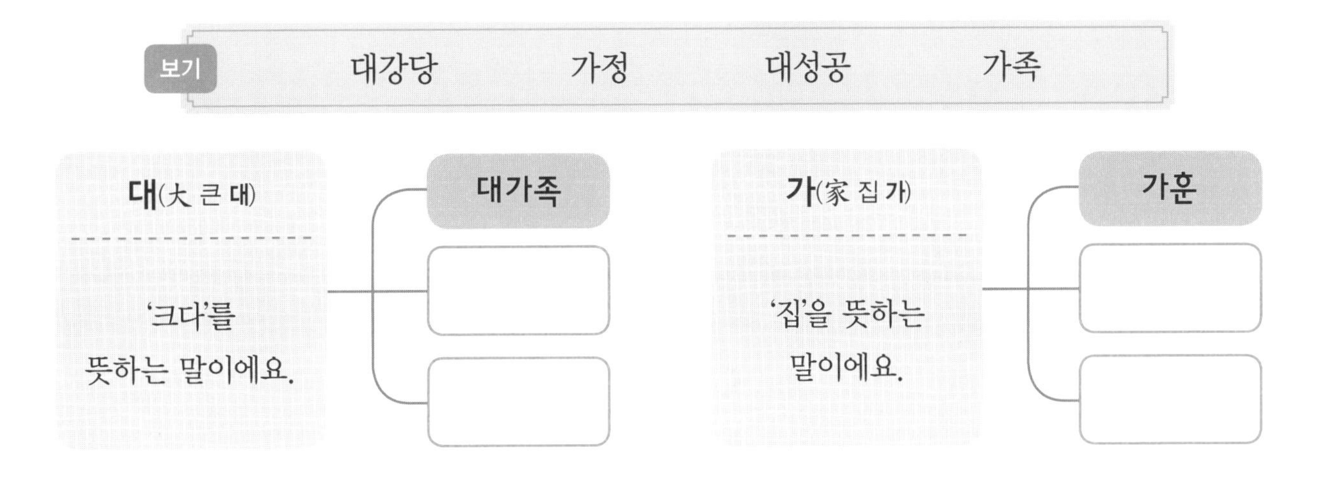

속담

만화를 보고, 상황에 어울리는 속담이 되도록 흐린 글자를 따라 쓰세요.

▶속담 '사촌이 땅을 사면 배가 아프다'는 '남이 잘되는 것을 기뻐해 주지는 않고 오히려 질투하고 시기함'을 뜻해요.

스스로 평가

어휘 그물

3일

학교

'학교'와 관련 있는 어휘와 그 뜻을 소리 내어 읽고, 어휘 그물을 살펴보며 빈칸에 알맞은 낱말을 쓰세요.

선생님

스승

뽐내다

발표하다

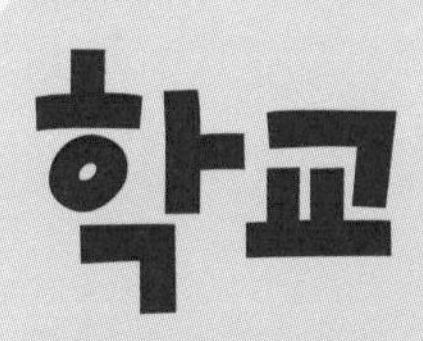

학교 행사

운동회

운

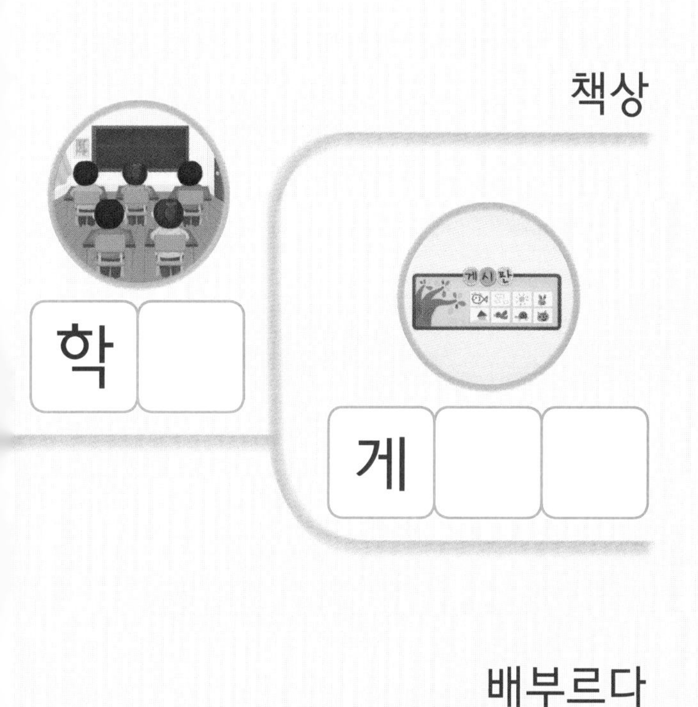

어휘 읽기

게시판
(揭 걸 **게** 示 보일 **시** 板 널빤지 **판**)
여러 사람에게 알릴 내용을 붙이거나 걸어 놓는 판.

교무실
(教 가르칠 **교** 務 힘쓸 **무** 室 집 **실**)
선생님이 수업을 준비하는 등 여러 가지 일을 하는 곳.

급식(給 줄 **급** 食 밥 **식**)
끼니로 음식을 줌. 또는 그 식사.

등교(登 오를 **등** 校 학교 **교**)
학생이 수업을 받기 위해 학교에 감.

운동장
(運 옮길 **운** 動 움직일 **동** 場 마당 **장**)
체조, 운동 경기, 놀이 등을 할 수 있도록 여러 가지 기구가 있는 넓은 마당.

체육관
(體 몸 **체** 育 기를 **육** 館 집 **관**)
실내에서 여러 가지 운동 경기를 할 수 있도록 도구나 기구를 갖추어 놓은 건물.

하교(下 아래 **하** 校 학교 **교**)
공부를 끝내고 학교에서 집으로 돌아옴.

학급(學 배울 **학** 級 등급 **급**)
한 교실에서 공부하는 학생들의 모임.

학예회
(學 배울 **학** 藝 재주 **예** 會 모일 **회**)
학교에서 춤, 노래 등을 발표하거나 작품을 전시하는 활동.

1주

뜻을 읽고, 알맞은 낱말을 보기 에서 찾아 빈칸에 쓰세요.

보기 학급 등교 교무실 하교 체육관

① 학생이 수업을 받기 위해 학교에 감. ·························· [ ]

② 한 교실에서 공부하는 학생들의 모임. ························· [ ]

③ 선생님이 수업을 준비하는 등 여러 가지 일을 하는 곳. ················ [ ]

④ 공부를 끝내고 학교에서 집으로 돌아옴. ······················· [ ]

⑤ 실내에서 여러 가지 운동 경기를 할 수 있도록 도구나 기구를 갖추어 놓은 건물. ·························· [ ]

글을 읽고, ( ) 안에 들어갈 알맞은 낱말을 찾아 선으로 이으세요.

우리 학교는 점심시간에 ( )을 먹어요. •	• 학예회
넓은 ( )에서 달리기를 해요. •	• 급식
재우는 ( ) 때 멋진 춤을 추었어요. •	• 운동장
( )에 소미가 그린 그림이 걸렸어요. •	• 게시판

한자어

'교(校)'와 '장(場)'의 뜻을 읽고, 알맞은 낱말을 보기 에서 찾아 빈칸에 쓰세요.

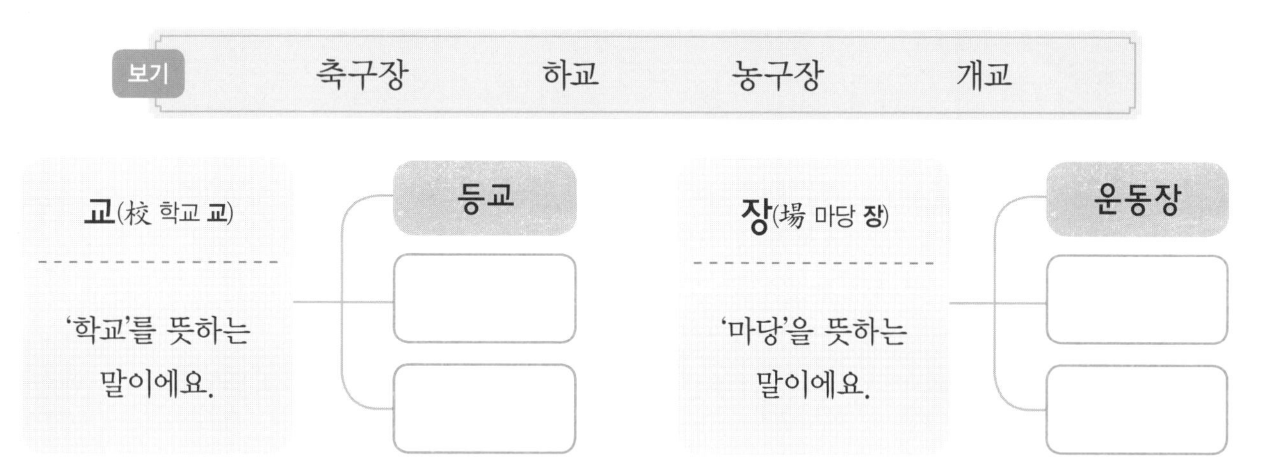

* '개교'는 '학교를 새로 세워 처음으로 가르치는 것을 시작함'을 뜻해요.

유의어

낱말을 읽고, 비슷한말을 찾아 선으로 이으세요.

관용구

만화를 보고, 상황에 어울리는 말이 되도록 흐린 글자를 따라 쓰세요.

▶ 관용구 '스승의 그림자는 밟지 않는다'는 '선생님과 함께할 때에는 그림자도 밟지 않을 정도로 공경하고 예의를 지켜 대한다'는 뜻이에요.

스스로 평가  

어휘 그물

4일 친구

'친구'와 관련 있는 어휘와 그 뜻을 소리 내어 읽고, 어휘 그물을 살펴보며 빈칸에 알맞은 낱말을 쓰세요.

소곤소곤

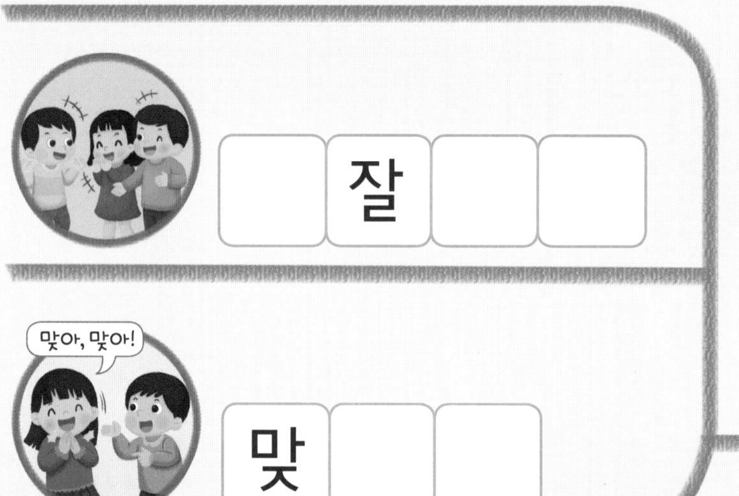

□ 잘 □ □

맞 □ □

대 □

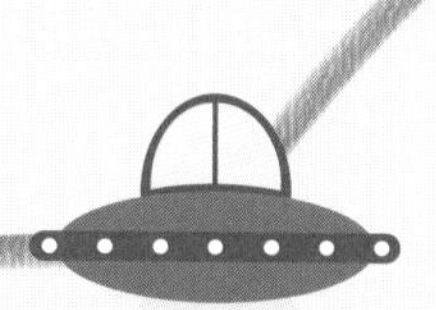

친구

사이좋다

까불다

개 □ □ □

덤 □ □ □ □

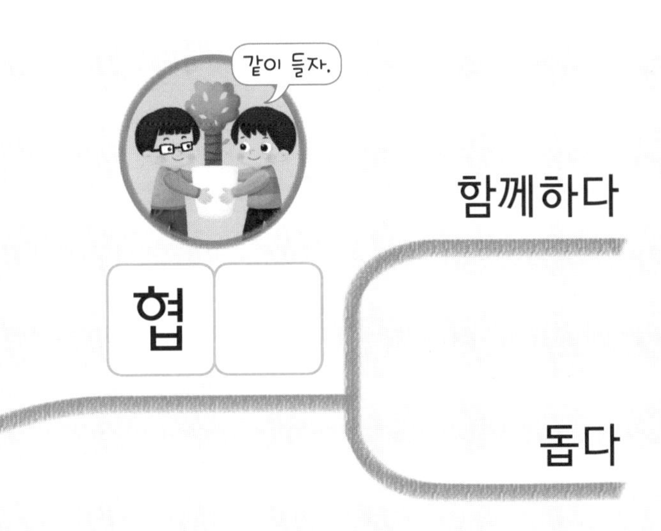

어휘 읽기

개구쟁이
심하고 짓궂게 장난을 하는 아이.

대화(對 대할 **대** 話 말씀 **화**)
마주하여 이야기를 주고받음. 또는 그 이야기.

덤벙거리다
흥분된 마음과 행동으로 아무 일에나 자꾸 서둘러 뛰어들다.

맞장구
남의 말에 덩달아 답하거나 뜻을 같이하는 일.

배려(配 나눌 **배** 慮 생각할 **려**)
도와주거나 보살펴 주려고 마음을 씀.

우정(友 친구 **우** 情 뜻 **정**)
친구 사이의 정.

재잘재잘
낮고 빠른 목소리로 자꾸 이야기하는 소리나 그 모양.

헤아리다
짐작하거나 미루어 생각하다.

협동(協 도울 **협** 同 한가지 **동**)
서로 마음과 힘을 하나로 모음.

4일 어휘 학습

뜻을 읽고, 알맞은 낱말을 찾아 선으로 이으세요.

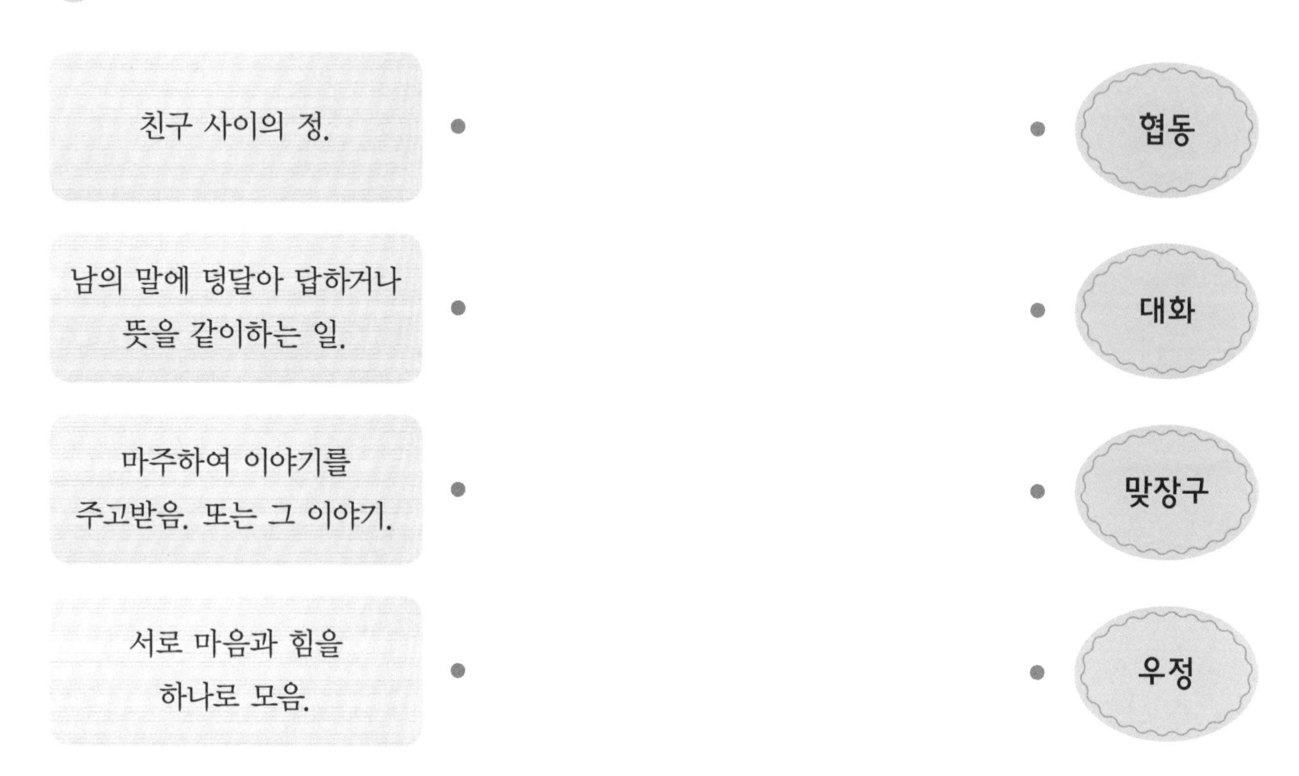

글을 읽고, 바른 문장이 되도록 알맞은 낱말을 보기 에서 찾아 빈칸에 쓰세요.

보기 배려해야 덤벙거리다가 재잘재잘 개구쟁이 헤아리고

① 정원이는 복도에서 [ ] 꽈당 넘어졌어요.

② 은호는 반에서 가장 [ ]여서 자주 꾸중을 들어요.

③ 친구들이 한곳에 모여 웃으며 [ ] 이야기를 나누고 있어요.

④ 항상 친구를 이해하고 [ ] 해요.

⑤ 진이는 실수를 한 친구의 마음을 [ ] 위로해 주었어요.

1 주

연상 어휘

그림을 보고, 떠오르는 낱말을 보기 에서 찾아 빈칸에 쓰세요.

보기 떠들다 수다

유의어

낱말을 읽고, 비슷한말을 찾아 선으로 이으세요.

속담

만화를 보고, 상황에 어울리는 속담이 되도록 흐린 글자를 따라 쓰세요.

▶속담 '친구 따라 강남 간다'는 '자기는 하고 싶지 않은데도 남에게 끌려서 덩달아 하게 된다'는 뜻이에요.

5일 어휘 복습

국어 뜻을 읽고, 알맞은 낱말과 그 낱말이 들어갈 문장을 찾아 선으로 이으세요.

서로 마음과 힘을 하나로 모음.	체조, 운동 경기, 놀이 등을 할 수 있도록 여러 가지 기구가 있는 넓은 마당.	끼니와 끼니 사이에 음식을 먹음. 또는 그 음식.	여러 사람에게 알릴 내용을 붙이거나 걸어 놓는 판.

운동장	게시판	간식	협동

학생들이 (　　　)에서 운동회를 해요.

오후에 맛있는 (　　　)을 먹어요.

아이들이 (　　　)해서 멋진 작품을 만들어요.

선생님이 (　　　)에 그림을 붙여요.

국어 글을 읽고, 바른 문장이 되도록 알맞은 낱말을 보기에서 찾아 빈칸에 쓰세요.

보기: 위로 대화 맞장구 급식 초대

① 하림이는 친구의 말에 크게 ______ 를 치며 웃었어요.

② 은비는 다쳐서 울고 있는 친구를 ______ 해 주었어요.

③ 맛있는 밥을 먹는 ______ 시간은 항상 시끌벅적해요.

④ 혜미는 생일 때 친구들을 집으로 ______ 했어요.

⑤ 수정이는 식사를 하며 엄마와 ______ 를 나누었어요.

*'위로'는 '따뜻한 말이나 행동으로 괴로움을 덜어 주거나 슬픔을 달래 줌'을, '초대'는 '사람을 불러 대접함'을 뜻해요.

수학 뜻을 읽고, 알맞은 낱말을 찾아 선으로 이으세요.

여러 사람이 다 같이 지키기로 정한 법칙이나 질서. •	• 순서
앞뒤, 왼쪽과 오른쪽, 위아래와 같은 차례. •	• 규칙
여럿 가운데 따로따로인 한 개 한 개. •	• 낱개

5일 어휘 복습

통합교과 뜻을 읽고, 알맞은 낱말을 보기 에서 찾아 빈칸에 쓰세요.

보기 재능 외가 풍경 실천

① 어머니의 부모, 형제 등이 살고 있는 집.
또는 어머니의 부모, 형제들을 합해서 부르는 말. .... [ ]

② 산이나 들, 강이나 바다 등의 자연이나 지역의 모습. .... [ ]

③ 어떤 일을 하는 데 필요한 재주와 능력. .... [ ]

④ 생각한 것을 실제로 함. .... [ ]

통합교과 글을 읽고, ( ) 안에 똑같이 들어갈 낱말을 찾아 선으로 이으세요.

소은이는 춤추는 것에 ( )가 많아요.	운동 경기를 ( )롭게 보았어요.

혜란이는 항상 주위 사람을 ( )하는 친구예요.	지후는 친구를 ( )하지 않는 행동을 해서 꾸중을 들었어요.

이야기를 읽고, 물음에 답하세요.

선우는 평소 장난기 가득한 개구쟁이지만 축구를 할 때만큼은 달라요. 축구에 매우 흥미가 많아서 매일같이 수업이 끝나면 친구들과 운동장에서 축구를 할 정도예요. 또 축구에 재능도 있어서 언제나 선우가 골을 제일 많이 넣지요. 주말에는 친가에 놀러 가서 사촌 형들과 축구를 했어요. 사촌 형들도 모두 선우의 축구 실력을 칭찬했어요. 선우는 커서 훌륭한 축구 선수가 되겠다는 [?]를 이루기 위해 더 열심히 운동하기로 했어요.

1. 뜻을 읽고, 알맞은 낱말을 글 속의 빨간색 낱말 중에서 찾아 빈칸에 쓰세요.

① 아버지 형제자매의 아들이나 딸과의 관계. .... [ ]

② 심하고 짓궂게 장난을 치는 아이. .... [ ]

③ 어떤 것에 대하여 관심을 갖고 재미를 느끼는 것. .... [ ]

2. 글 속의 [?] 안에 알맞은 낱말을 찾아 ○ 하세요.

등교	목표	대화

스스로 평가

알쏭달쏭 그림 찾기

아래에서 설명하는 낱말을 모두 찾아 좋아하는 색으로 칠하세요.

① 서로 마음과 힘을 하나로 모음.
② 서로 뜻이 맞고 정답다.
③ 생각하거나 마음먹은 대로 되게 하다.
④ 식구 수가 많은 가족.
⑤ 힘줄과 살을 모두 합하여 가리키는 말.
⑥ 끼니로 음식을 줌. 또는 그 식사.
⑦ 남의 말에 덩달아 답하거나 뜻을 같이하는 일.
⑧ 할머니와 할아버지를 함께 부르는 말.
⑨ 어떤 일을 하는 데 필요한 재주와 능력.
⑩ 학생이 수업을 받기 위해 학교에 감.

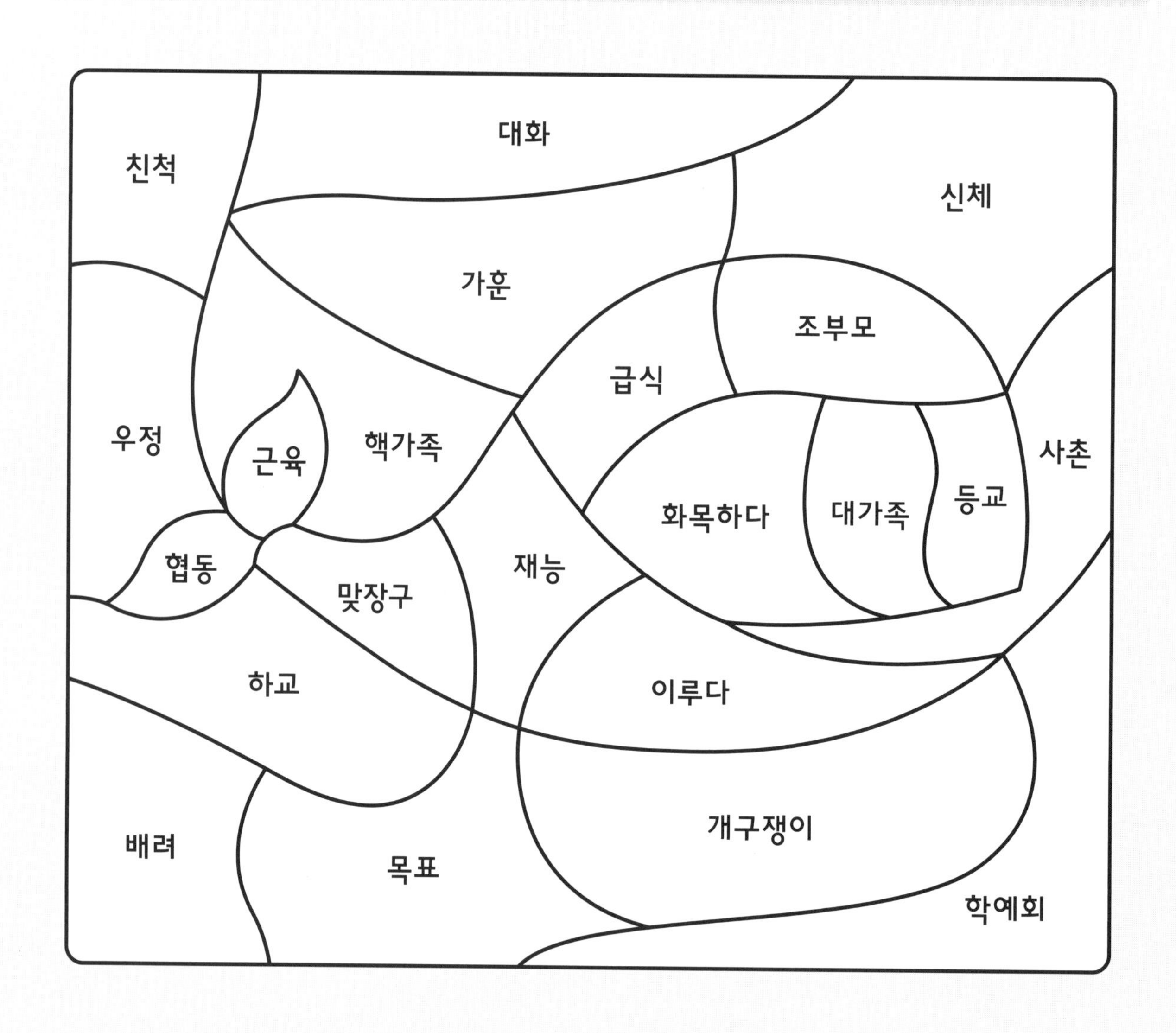

관심 있는 주제를 가운데 동그라미에 쓰고, 어휘들을
자유롭게 적으며 나만의 어휘 그물을 만들어 보세요.

내가 만드는 어휘 그물

1주

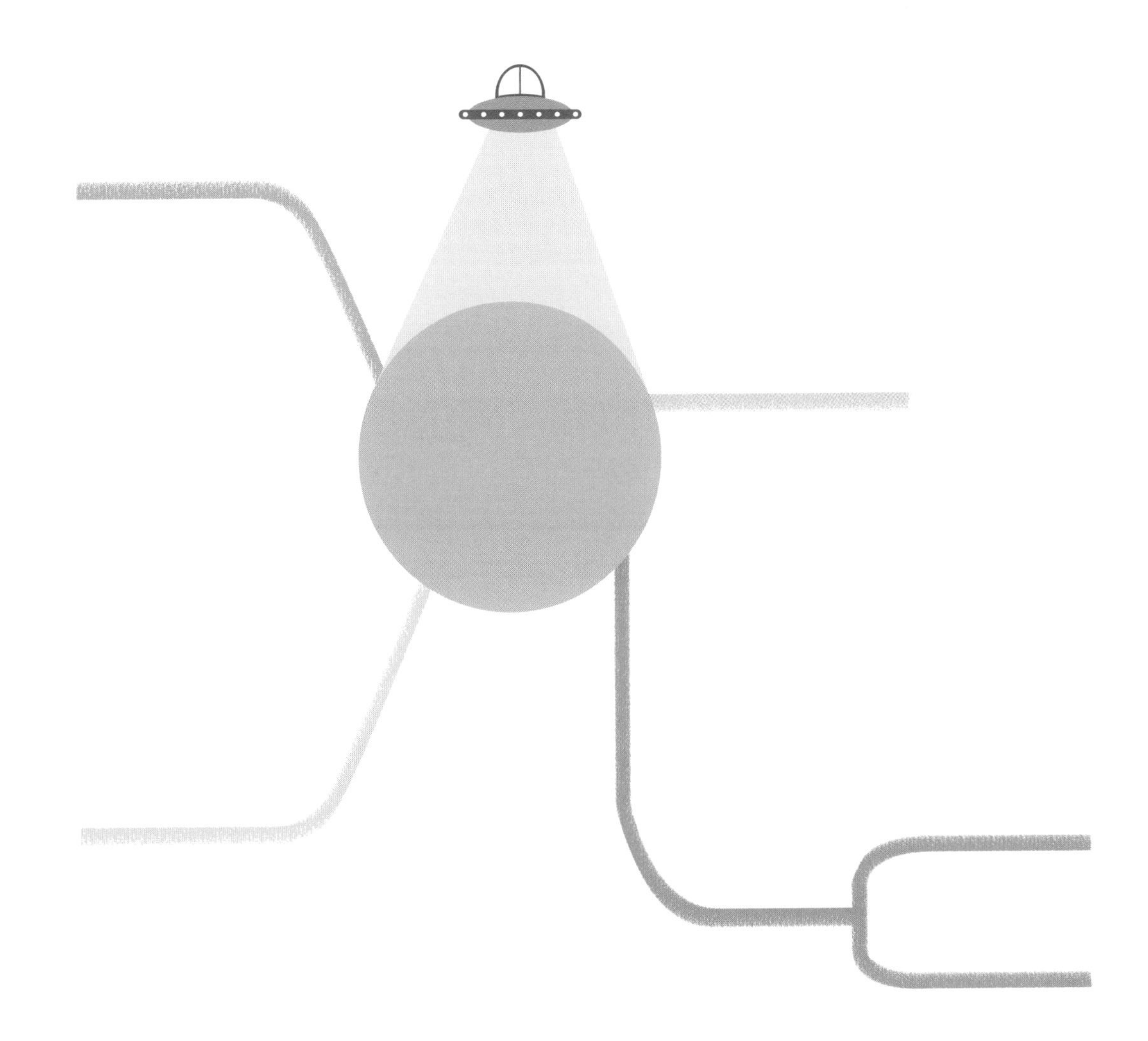

2주

이번 주에 공부할 어휘들이에요.
어휘를 살펴보고,
알고 있는 어휘에 ✓를 하세요.
공부할 날짜를 쓰며
학습 계획도 세워 보세요.

1일 예절

공부할 날 월 일

- [ ] 공경
- [ ] 깍듯하다
- [ ] 댁
- [ ] 모시다
- [ ] 목례
- [ ] 여쭈다
- [ ] 연세
- [ ] 주무시다
- [ ] 진지

2일 우리 동네

공부할 날 월 일

- [ ] 모퉁이
- [ ] 불우 이웃
- [ ] 사고팔다
- [ ] 성금
- [ ] 시장
- [ ] 알뜰하다
- [ ] 어귀
- [ ] 장터
- [ ] 지폐

3일 명절

공부할 날 월 일

- □ 고향
- □ 덕담
- □ 빚다
- □ 설빔
- □ 성묘
- □ 차례

- □ 한가위
- □ 햇곡식
- □ 햇과일

4일 우리나라

공부할 날 월 일

- □ 갓
- □ 기와집
- □ 단군
- □ 문화재
- □ 비녀
- □ 애국심
- □ 우수하다
- □ 유물
- □ 저고리

5일 어휘 복습

공부할 날 월 일

아는 어휘 개 / 모르는 어휘 개

어휘 그물

1일

예절

'예절'과 관련 있는 어휘와 그 뜻을 소리 내어 읽고, 어휘 그물을 살펴보며 빈칸에 알맞은 낱말을 쓰세요.

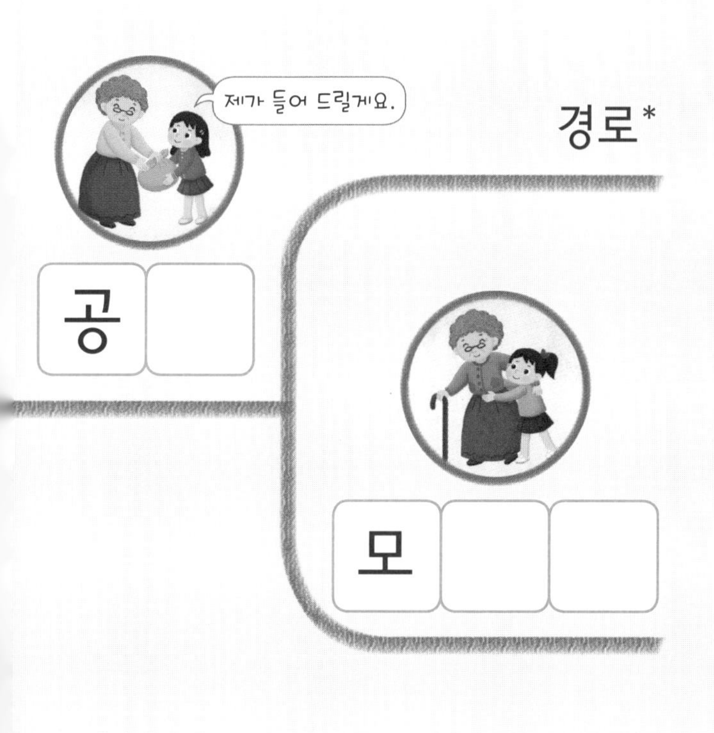

바르다

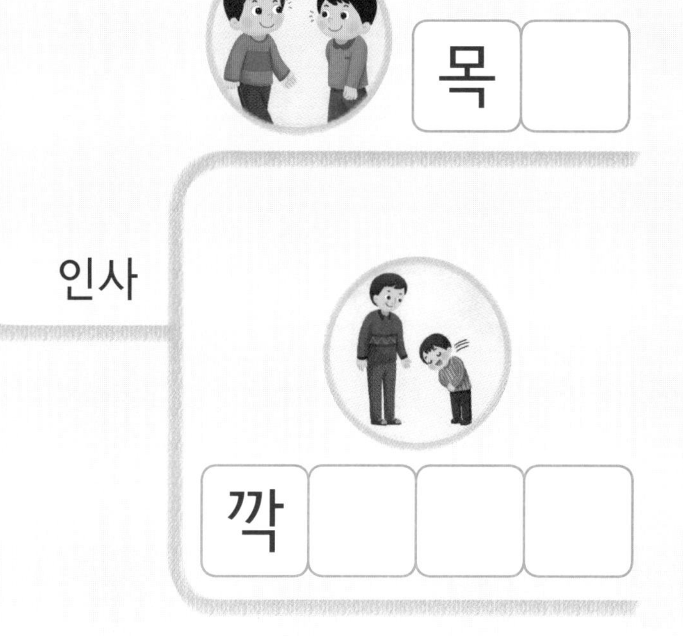

*경로: 노인을 공경함.

어휘 읽기

공경(恭 공손할 **공** 敬 공경할 **경**)
공손히 모심.

깍듯하다
일상생활에서 갖추어야 할 예의나 태도가 분명하다.

댁
남의 집이나 가정을 높여 이르는 말.

모시다
웃어른이나 존경하는 사람을 가까이에서 받들다.

목례(目 눈 **목** 禮 예절 **례**)
눈짓으로 가볍게 하는 인사.

여쭈다
웃어른에게 공손하게 말씀을 드리거나 인사를 드리다.

연세(年 해 **연** 歲 해 **세**)
'나이'의 높임말.

주무시다
'자다'의 높임말.

진지
'밥'의 높임말.

1일 어휘 학습

뜻을 읽고, 알맞은 낱말을 보기에서 찾아 빈칸에 쓰세요.

보기 주무시다 진지 연세 모시다 목례

① '밥'의 높임말. ……………………………………

② '자다'의 높임말. ……………………………………

③ 눈짓으로 가볍게 하는 인사. ……………………………

④ 웃어른이나 존경하는 사람을 가까이에서 받들다. ……………

⑤ '나이'의 높임말. ……………………………………

글을 읽고, (　) 안에 들어갈 알맞은 낱말을 찾아 선으로 이으세요.

슬기는 선생님께 항상 (　　) 인사해요. • • 여쭈어

명절에는 온 가족이 할아버지 (　　)에 모여요. • • 깍듯하게

수완이는 선생님께 모르는 것을 (　　) 보았어요. • • 공경

항상 어른을 (　　)해야 해요. • • 댁

연상 어휘

그림을 보고, 떠오르는 낱말을 보기에서 찾아 빈칸에 쓰세요.

보기	노약자석	양보

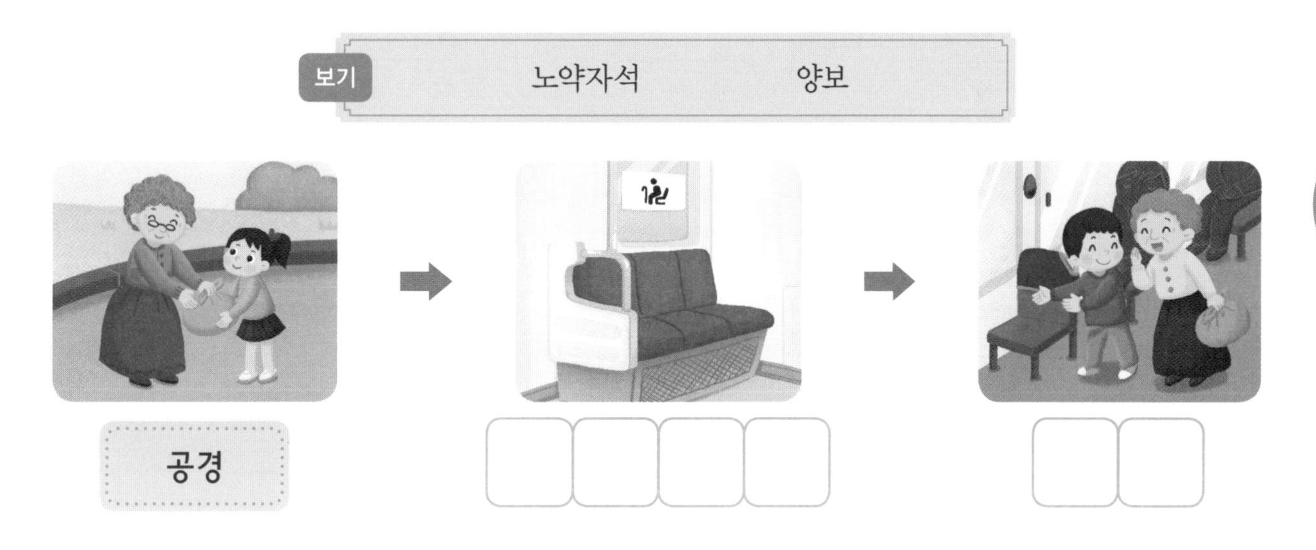

유의어

낱말을 읽고, 비슷한말을 찾아 선으로 이으세요.

속담

만화를 보고, 상황에 어울리는 속담이 되도록 흐린 글자를 따라 쓰세요.

▶속담 '가는 말이 고와야 오는 말이 곱다'는 '내가 먼저 다른 사람에게 말이나 행동을 좋게 하여야 다른 사람도 나에게 좋게 한다'는 뜻이에요.

스스로 평가 

어휘 그물

2일 우리 동네

'우리 동네'와 관련 있는 어휘와 그 뜻을 소리 내어 읽고, 어휘 그물을 살펴보며 빈칸에 알맞은 낱말을 쓰세요.

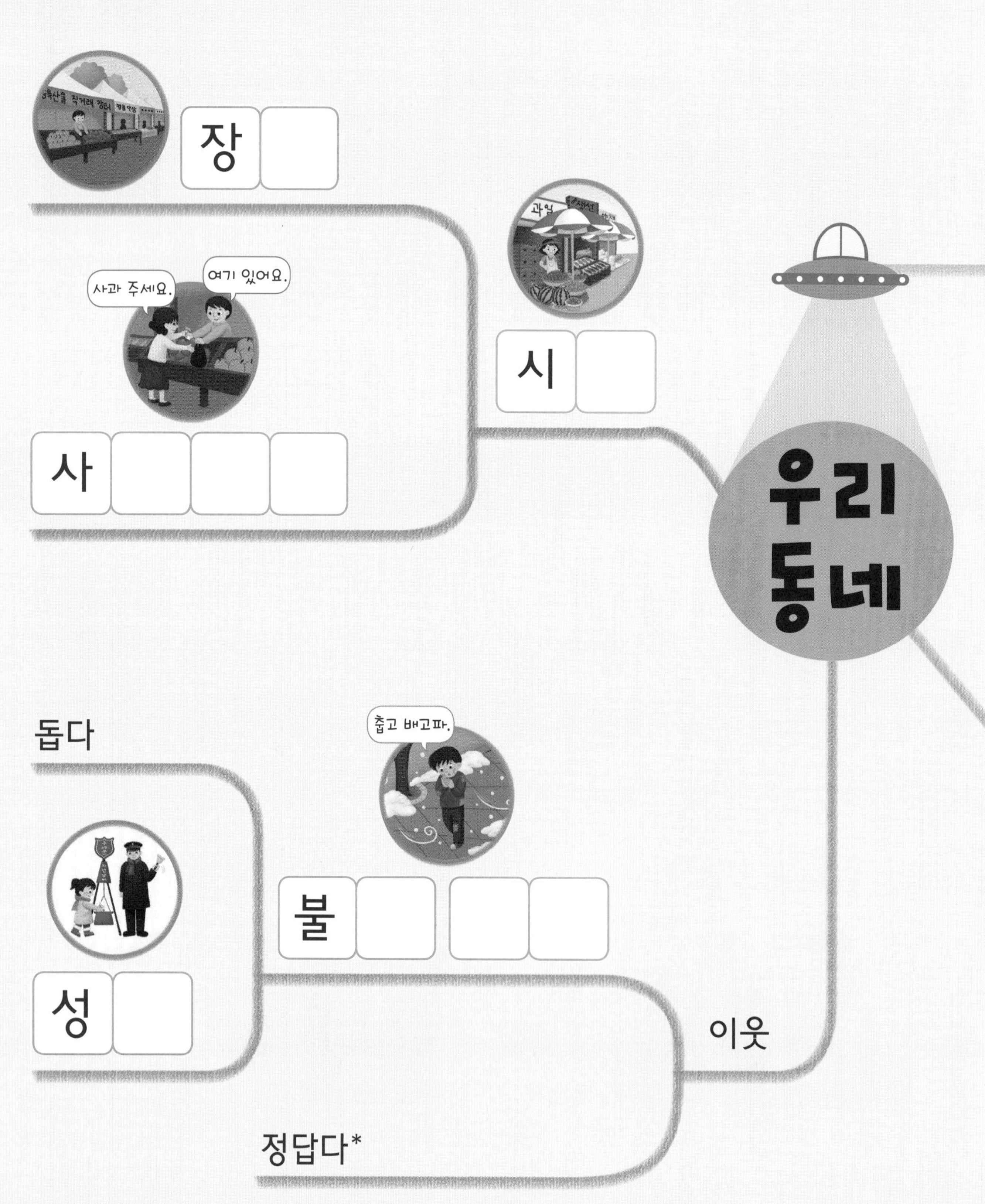

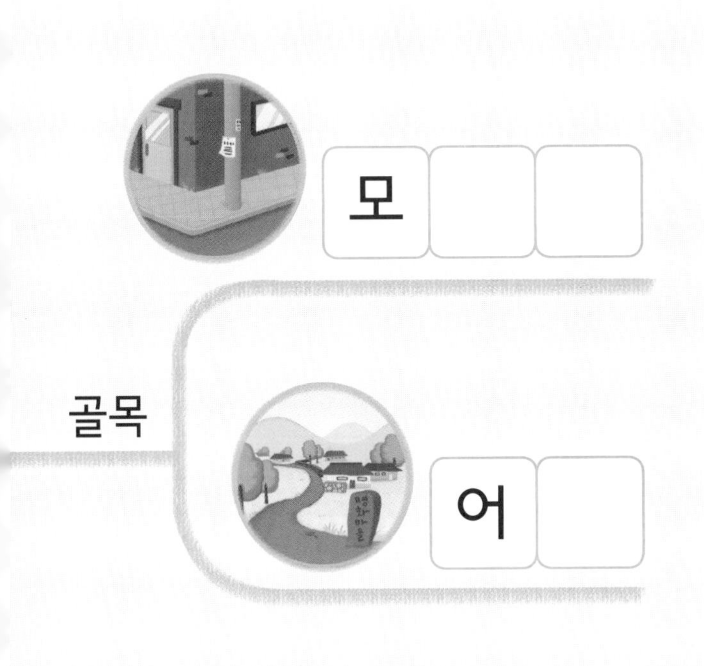

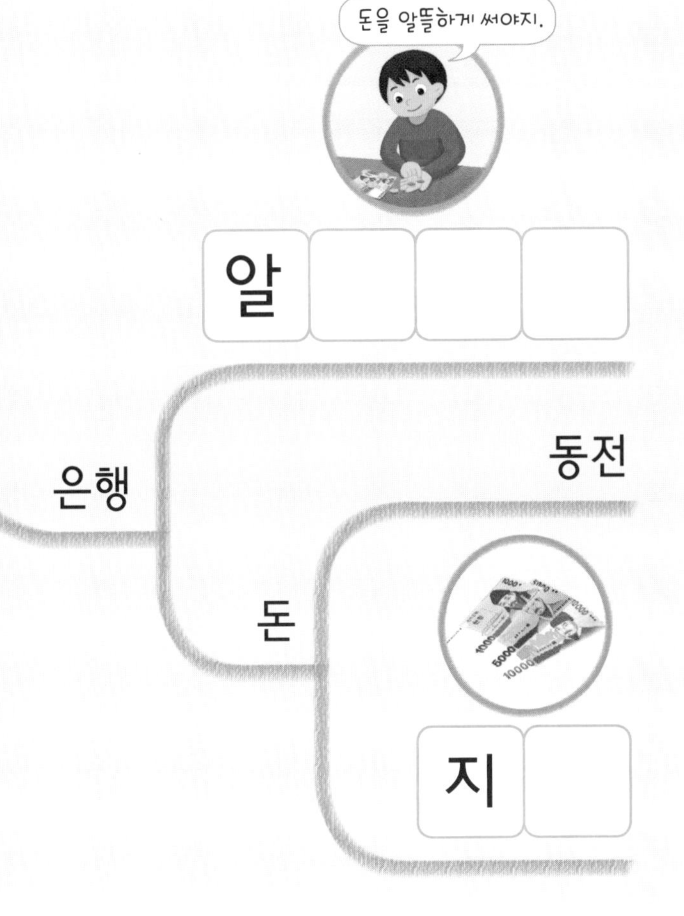

*정답다: 따뜻한 정이 있다.

어휘 읽기

모퉁이
구부러지거나 꺾어져 돌아간 자리.

불우(不 아닐 **불** 遇 만날 **우**) **이웃**
살림이나 처지가 어려운 이웃.

사고팔다
물건 등을 사기도 하고 팔기도 하다.

성금(誠 정성 **성** 金 쇠 **금**)
다른 사람을 돕기 위해 정성으로 내는 돈.

시장(市 시장 **시** 場 마당 **장**)
여러 가지 물건을 사고파는 정해진 장소.

알뜰하다
일이나 살림을 계획에 따라 성실하게 하여 빈틈이 없다.

어귀
드나드는 길이 시작되는 곳.

장(場 마당 **장**)**터**
장(많은 사람이 모여 여러 가지 물건을 사고파는 곳)이 열리는 자리.

지폐(紙 종이 **지** 幣 돈 **폐**)
종이로 만든 돈.

2일 어휘 학습

뜻을 읽고, 알맞은 낱말을 보기 에서 찾아 빈칸에 쓰세요.

보기 모퉁이 지폐 시장 알뜰하다 어귀

① 여러 가지 물건을 사고파는 정해진 장소. ··························· [ ]

② 구부러지거나 꺾어져 돌아간 자리. ··························· [ ]

③ 종이로 만든 돈. ··························· [ ]

④ 드나드는 길이 시작되는 곳. ··························· [ ]

⑤ 일이나 살림을 계획에 따라 성실하게 하여 빈틈이 없다. ··········· [ ]

글을 읽고, (   ) 안에 들어갈 알맞은 낱말을 찾아 선으로 이으세요.

( )을 돕기 위해 봉사 활동을 했어요.	불우 이웃
( )에서 장이 크게 열렸어요.	성금
시장은 물건을 ( ) 곳이에요.	장터
( )을 모아서 어려운 친구를 도왔어요.	사고파는

연상 어휘

그림을 보고, 떠오르는 낱말을 보기 에서 찾아 빈칸에 쓰세요.

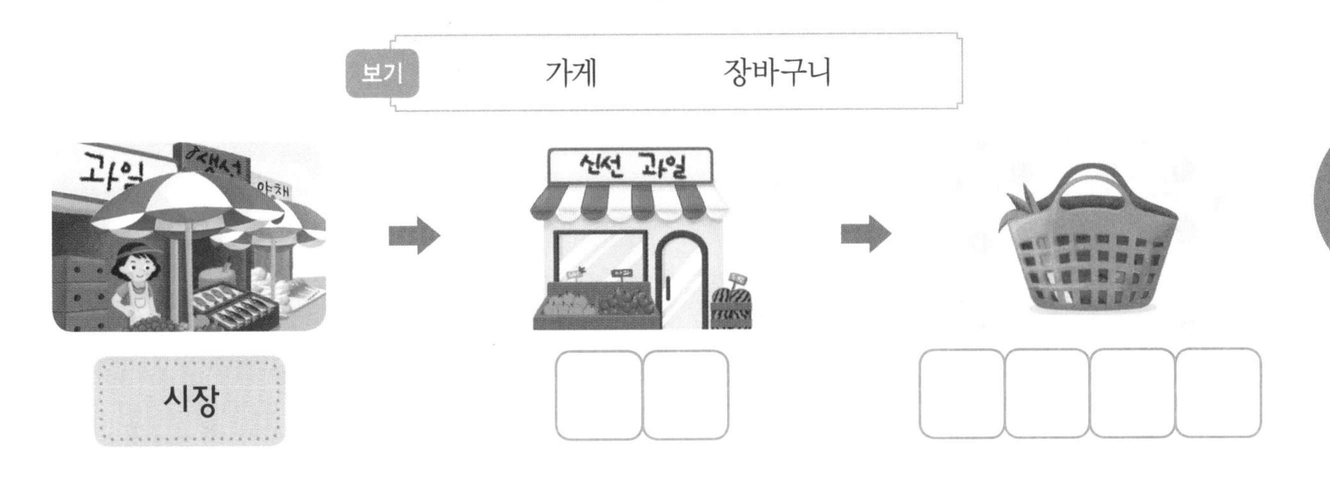

합성어 · 한자어

'터'와 '금(金)'의 뜻을 읽고, 알맞은 낱말을 보기 에서 찾아 빈칸에 쓰세요.

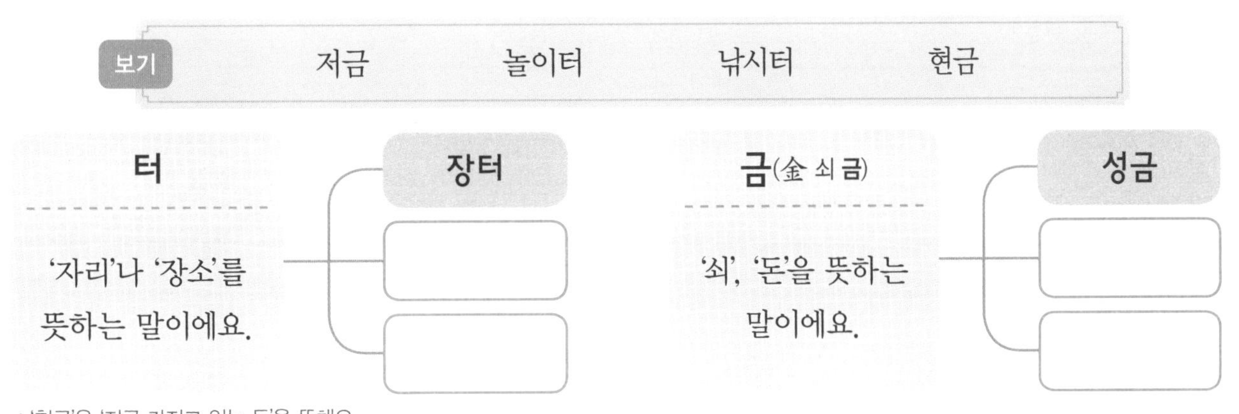

* '현금'은 '지금 가지고 있는 돈'을 뜻해요.

속담

만화를 보고, 상황에 어울리는 속담이 되도록 흐린 글자를 따라 쓰세요.

▶속담 '티끌 모아 태산'은 '아무리 작은 것이라도 모이고 모이면 나중에 큰 것이 된다'는 뜻이에요.

스스로 평가

명절

'명절'과 관련 있는 어휘와 그 뜻을 소리 내어 읽고, 어휘 그물을 살펴보며 빈칸에 알맞은 낱말을 쓰세요.

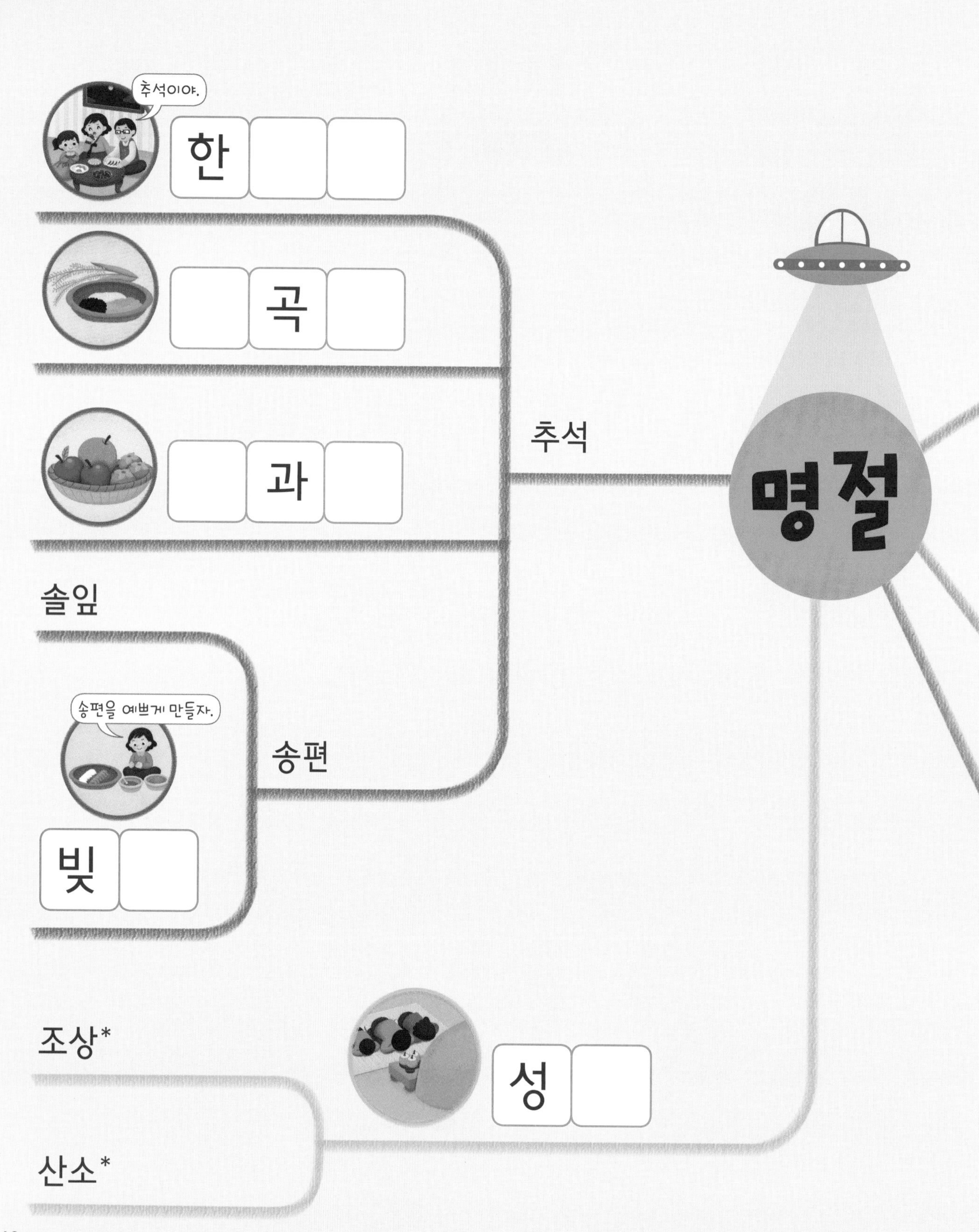

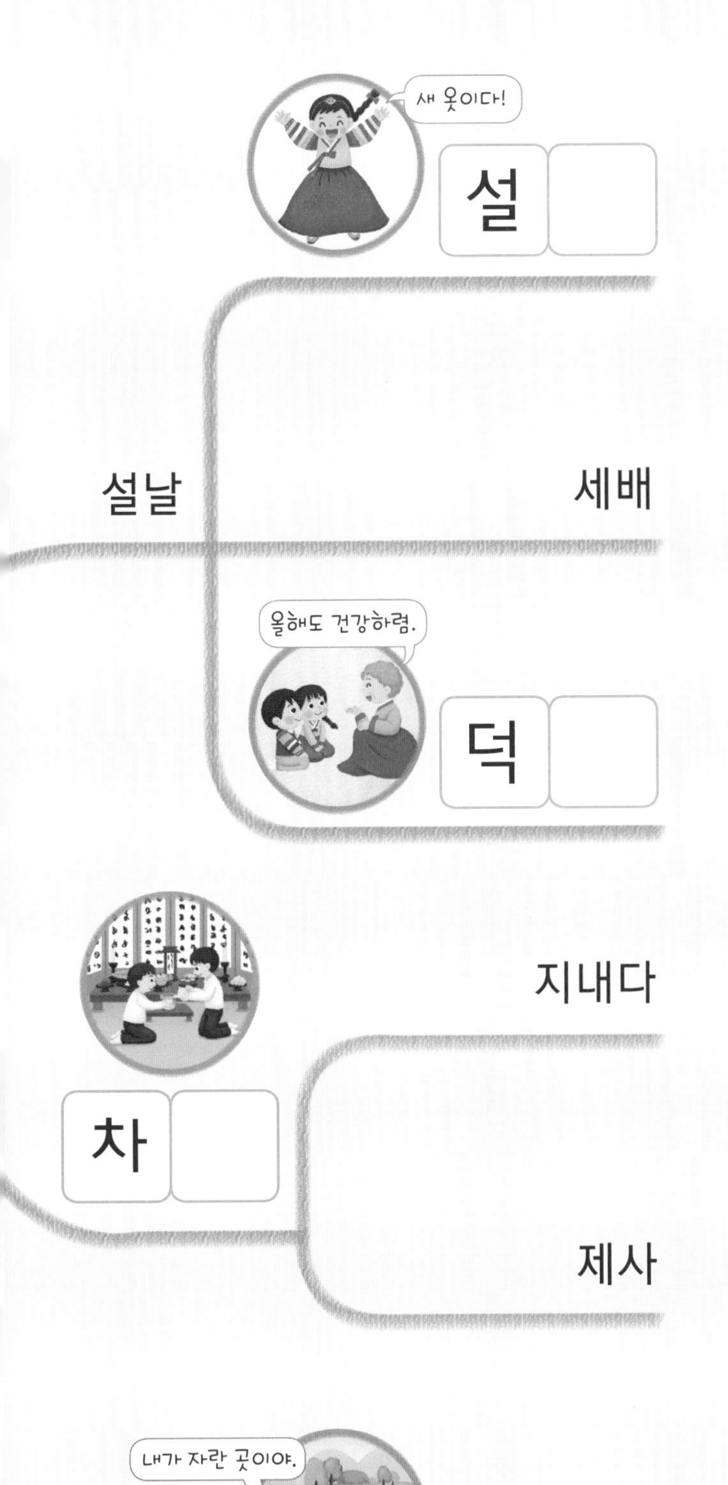

어휘 읽기

고향(故 연고 **고** 鄕 시골 **향**)
자기가 태어나서 자란 곳.

덕담(德 덕 **덕** 談 말씀 **담**)
상대방이 잘되기를 바라는 말.
주로 새해에 많이 나누는 말임.

빚다
가루를 반죽하여 만두, 송편, 경단 등을 만들다.

설빔
설을 맞이하여 새로 마련한 옷이나 신발.

성묘(省 살필 **성** 墓 무덤 **묘**)
어머니, 아버지 위로 돌아가신 어른의 산소를 찾아가서 돌보는 일.

차례(茶 차 **차** 禮 예절 **례**)
음력 매달 첫째 날과 보름날, 명절날, 조상 생일날 낮에 지내는 제사.

한가위
추석. 우리나라 명절의 하나로 음력 팔월 보름날을 말함.

햇곡식
그 해에 새로 난 곡식.

햇과일
그 해에 새로 난 과일.

***산소**: '무덤'을 높여 부르는 말.
***조상**: 어머니, 아버지 위로 돌아가신 어른들.

뜻을 읽고, 알맞은 낱말을 찾아 선으로 이으세요.

가루를 반죽하여 만두, 송편, 경단 등을 만들다.	햇곡식
그 해에 새로 난 곡식.	빚다
설을 맞이하여 새로 마련한 옷이나 신발.	설빔
어머니, 아버지 위로 돌아가신 어른의 산소를 찾아가서 돌보는 일.	성묘

글을 읽고, 바른 문장이 되도록 알맞은 낱말을 보기 에서 찾아 빈칸에 쓰세요.

보기 덕담 고향 한가위 차례 햇과일

① 우리 아빠의 (　　　)은 멀리 바다가 보이는 시골 마을이에요.

② (　　　)가 되어 가족들이 모두 둘러앉아 동글동글 송편을 빚었어요.

③ 설날에 친척들이 모여 조상님들에게 (　　　)를 지냈어요.

④ 갓 수확한 (　　　)은 신선해서 정말 맛있어요.

⑤ 사랑이는 설날에 어른들께 세배를 하고 (　　　)을 들었어요.

연상 어휘

그림을 보고, 떠오르는 낱말을 보기 에서 찾아 빈칸에 쓰세요.

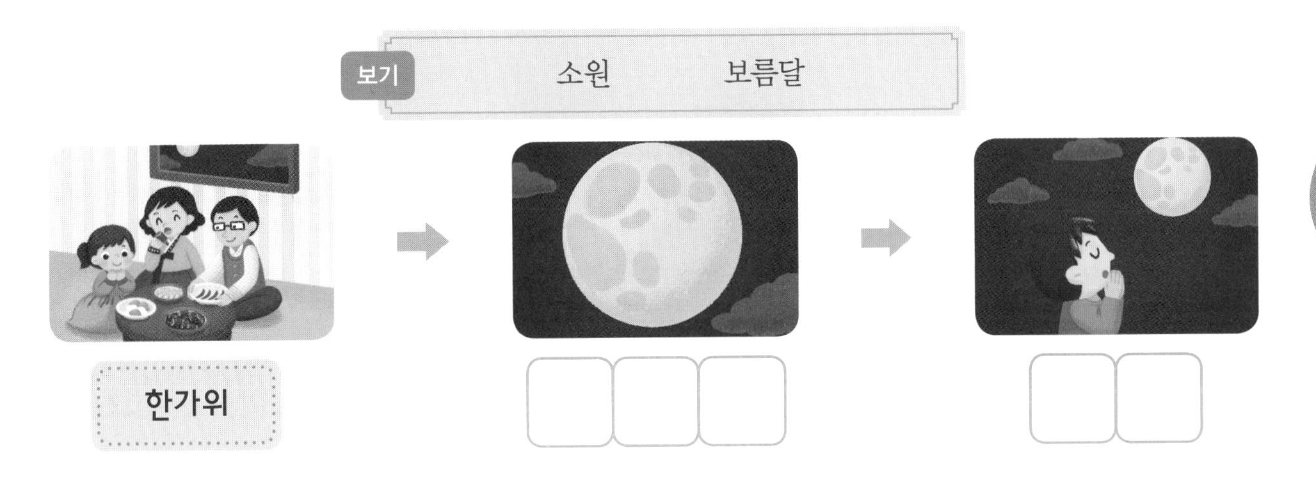

접사 · 한자어

'햇'과 '담(談)'의 뜻을 읽고, 알맞은 낱말을 보기 에서 찾아 빈칸에 쓰세요.

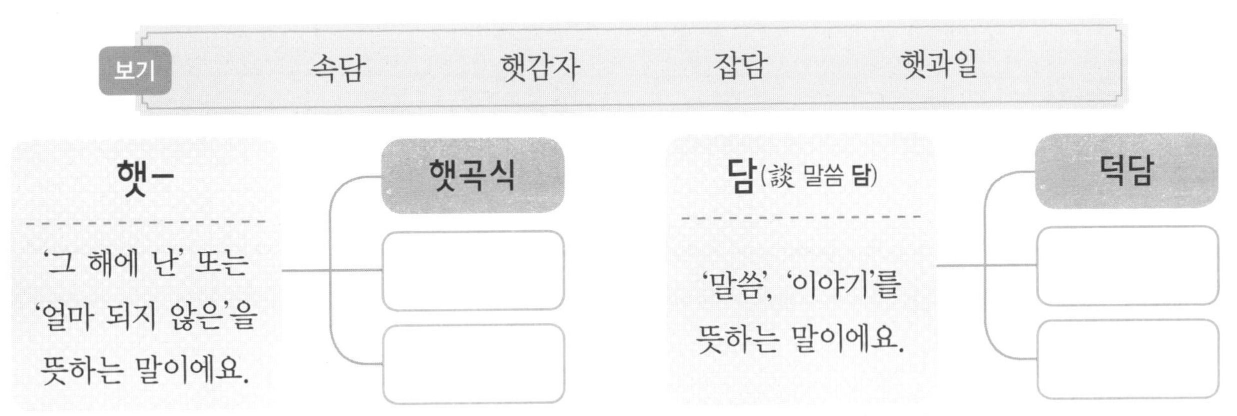

* '속담'은 '예로부터 사람들 사이에 전해 오는 교훈 등을 담은 짧은 글'을, '잡담'은 '쓸데없이 지껄이는 말'을 뜻해요.

속담

만화를 보고, 상황에 어울리는 속담이 되도록 흐린 글자를 따라 쓰세요.

▶ 속담 '더도 말고 덜도 말고 늘 한가위만 같아라'는 '늘 오곡백과(온갖 곡식과 과일)가 풍성한 한가위만 같으면 좋겠다'는 뜻이에요.

스스로 평가

우리나라

'우리나라'와 관련 있는 어휘와 그 뜻을 소리 내어 읽고, 어휘 그물을 살펴보며 빈칸에 알맞은 낱말을 쓰세요.

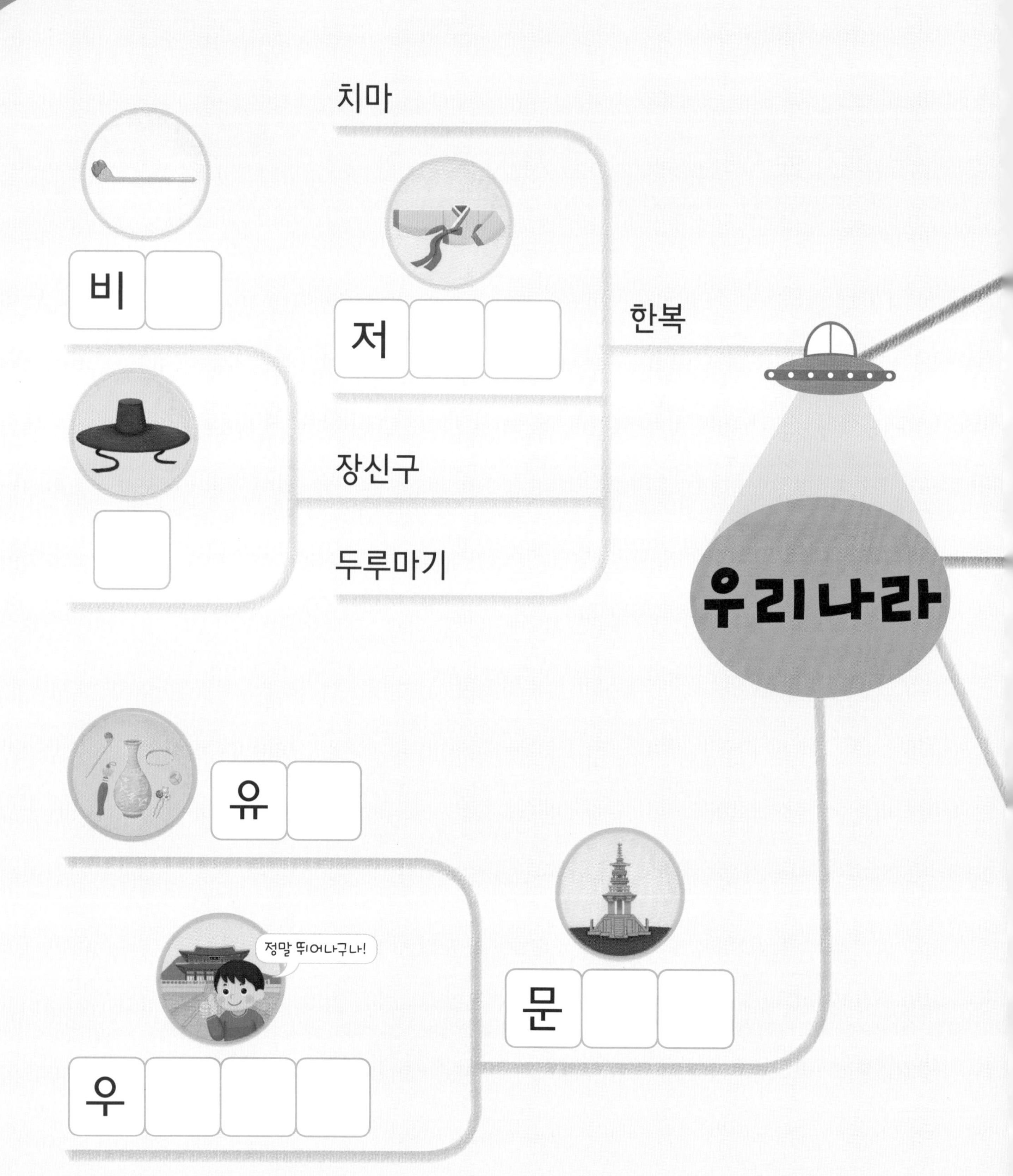

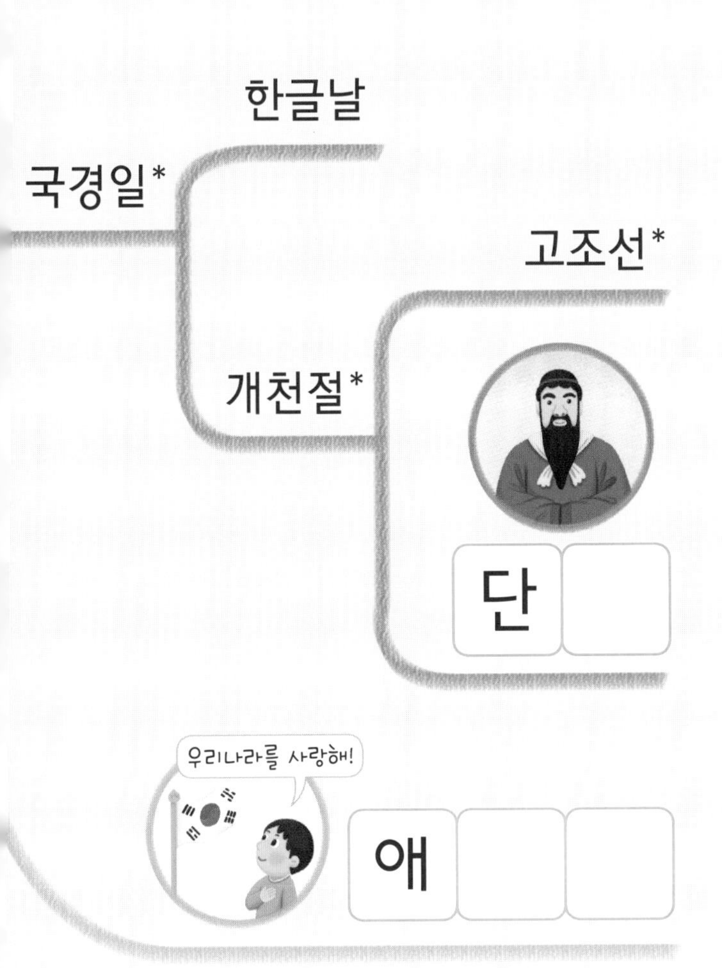

*개천절: 우리나라가 세워진 것을 기념하기 위해 나라에서 정한 날. 10월 3일.
*고조선: 우리나라에서 가장 처음 세워진 나라.
*국경일: 나라의 기쁜 일을 기념하기 위하여 나라에서 법으로 정한 날.

어휘 읽기

갓
예전에 어른이 된 남자가 머리에 쓰던 물건.

기와집
기와로 지붕 위를 덮은 집.

단군(檀 박달나무 **단** 君 임금 **군**)
환웅과 웅녀 사이에서 태어나 고조선을 세운, 우리 민족의 제일 첫 번째 임금.

문화재
(文 글월 **문** 化 될 **화** 財 재물 **재**)
조상들이 남긴 문화나 물건 중에서 문화적으로 중요하여 보호해야 하는 것.

비녀
땋아서 틀어 올린 머리가 풀어지지 않도록 여자들이 쓰는 장신구.

애국심
(愛 사랑 **애** 國 나라 **국** 心 마음 **심**)
자기 나라를 사랑하는 마음.

우수(優 넉넉할 **우** 秀 빼어날 **수**)**하다**
여럿 가운데 뛰어나다.

유물(遺 남길 **유** 物 물건 **물**)
옛날 사람들이 남긴 물건.

저고리
한복 윗옷의 하나로 소매, 깃, 고름 등이 있음.

뜻을 읽고, 알맞은 낱말을 보기 에서 찾아 빈칸에 쓰세요.

보기 애국심 단군 우수하다 비녀 유물

① 땋아서 틀어 올린 머리가 풀어지지 않도록 여자들이 쓰는 장신구. … [ ]

② 환웅과 웅녀 사이에서 태어나 고조선을 세운, 우리 민족의 제일 첫 번째 임금. …………………… [ ]

③ 여럿 가운데 뛰어나다. ………………………………………… [ ]

④ 자기 나라를 사랑하는 마음. …………………………………… [ ]

⑤ 옛날 사람들이 남긴 물건. ……………………………………… [ ]

글을 읽고, ( ) 안에 들어갈 알맞은 낱말을 찾아 선으로 이으세요.

옛날 남자 어른들이 머리에 쓰던 ( )은 모자처럼 생겼어요. •	• 갓
세은이는 설날에 노란 한복 치마에 분홍 ( )를 입었어요. •	• 문화재
한옥 마을에서 ( )을 보았어요. •	• 저고리
경주에는 불국사, 석굴암 등 훌륭한 ( )가 많이 있어요. •	• 기와집

연상 어휘

그림을 보고, 떠오르는 낱말을 보기 에서 찾아 빈칸에 쓰세요.

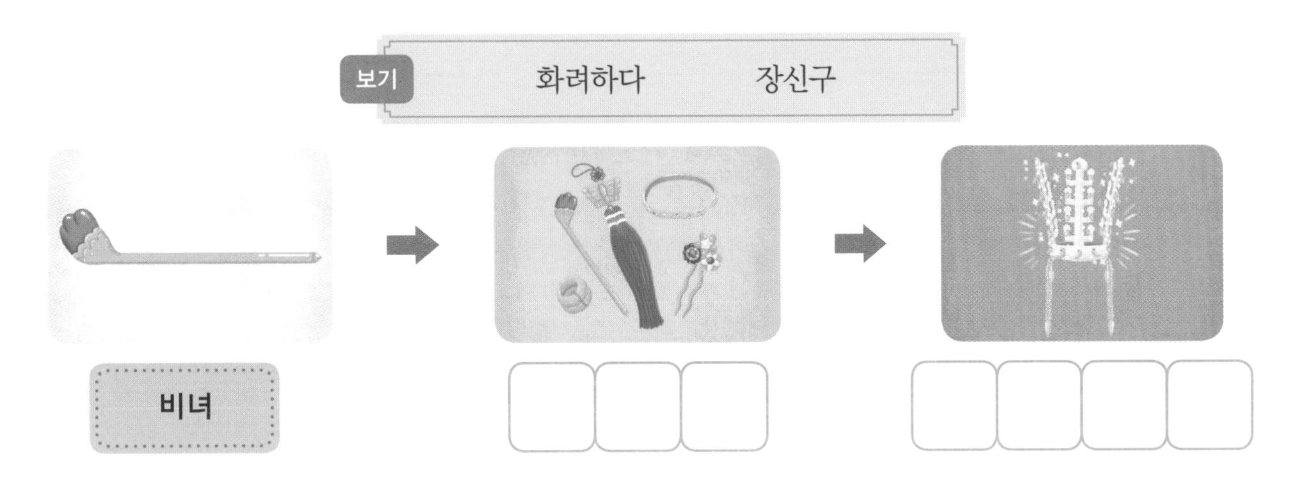

한자어

'심(心)'과 '물(物)'의 뜻을 읽고, 알맞은 낱말을 보기 에서 찾아 빈칸에 쓰세요.

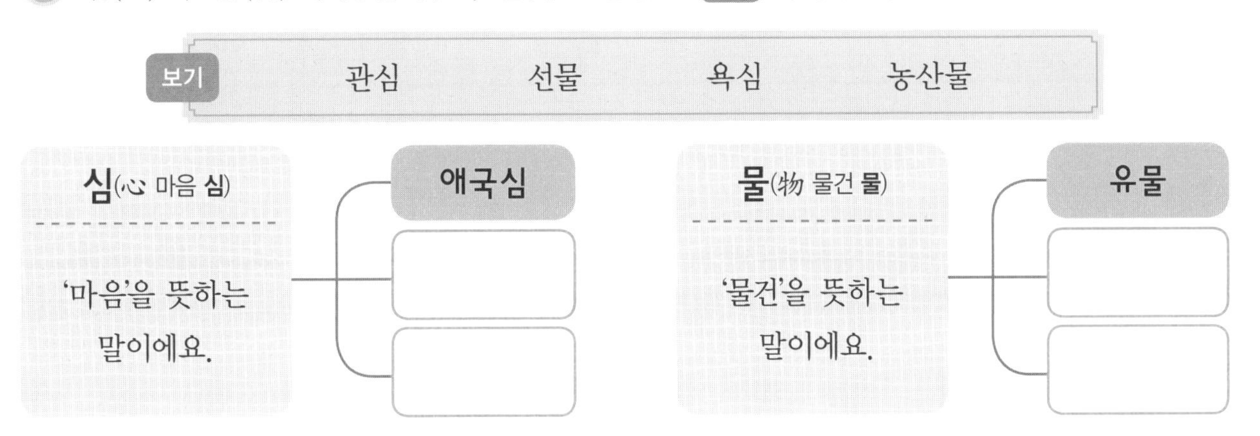

사자성어

만화를 보고, 상황에 맞는 말이 되도록 ? 안에 알맞은 흐린 글자를 따라 쓰세요.

▶사자성어 '신토불이'는 '몸과 땅은 둘이 아니고 하나'라는 뜻으로, 자기가 사는 땅에서 거둔 농산물이라야 우리 몸에 잘 맞는다는 말이에요.

스스로 평가

5일 어휘 복습

국어 낱말을 읽고, 알맞은 뜻을 찾아 선으로 이으세요.

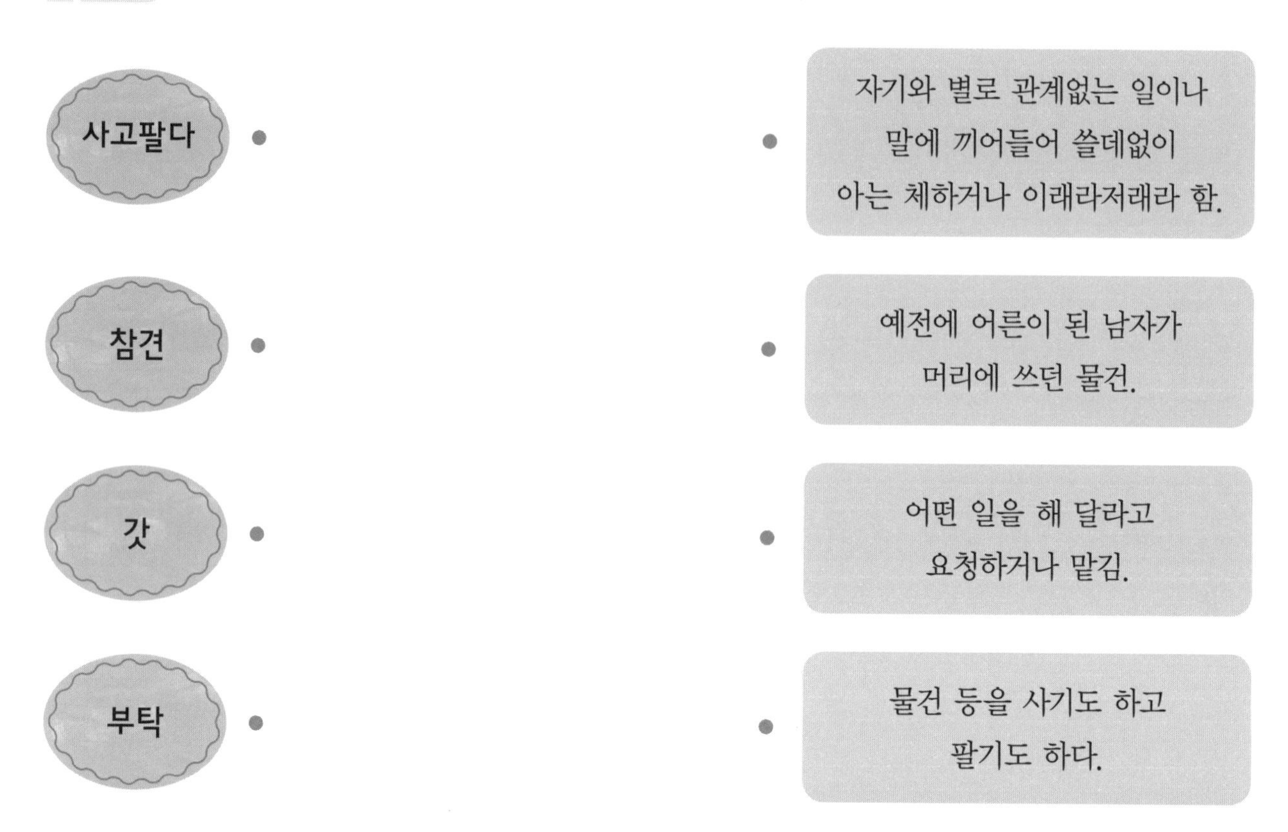

국어 글을 읽고, 바른 문장이 되도록 알맞은 낱말을 보기 에서 찾아 빈칸에 쓰세요.

보기 장터 쪽지 한가위 모퉁이

① 장이 열리자 넓은 [　　　]는 물건을 사고파는 사람들로 북적였어요.

② 좁은 골목의 [　　　]를 돌자 슈퍼마켓이 나왔어요.

③ [　　　]가 되면 가족들이 다 같이 모여 맛있는 송편을 먹어요.

④ 동훈이는 연필로 [　　　]에 친구의 전화번호를 적었어요.

*'쪽지'는 '작은 종잇조각'을 뜻해요.

국어 뜻을 읽고, 알맞은 낱말을 보기 에서 찾아 빈칸에 쓰세요.

보기 시장 오순도순 빚다 설빔

① 여러 가지 물건을 사고파는 정해진 장소. ····· ( )

② 가루를 반죽하여 만두, 송편, 경단 등을 만들다. ····· ( )

③ 설을 맞이하여 새로 마련한 옷이나 신발. ····· ( )

④ 정답게 이야기하거나 사이좋게 지내는 모양. ····· ( )

수학 그림을 보고, 떠오르는 낱말을 보기 에서 찾아 빈칸에 쓰세요.

보기 숫자 사각형

연세 : '나이'의 높임말.

□□ : 수를 나타내는 글자.

지폐 : 종이로 만든 돈.

□□□ : 곧은 선 네 개로 둘러싸인 도형.

통합교과 뜻을 읽고, 알맞은 낱말을 보기 에서 찾아 빈칸에 쓰세요.

보기 단군 성금 전통 덕담

① 남이 잘되기를 바라는 말. 주로 새해에 많이 나누는 말임. ············ [ ]

② 다른 사람을 돕기 위해 정성으로 내는 돈. ························· [ ]

③ 어떤 모임이나 사회에서 오래전부터 이미 이루어져 전하여 내려오는 생각이나 행동 방식. ················· [ ]

④ 환웅과 웅녀 사이에서 태어나 고조선을 세운, 우리 민족의 제일 첫 번째 임금. ······················ [ ]

통합교과 글을 읽고, ( ) 안에 똑같이 들어갈 낱말을 찾아 선으로 이으세요.

나라마다 그 나라만의 특별한 ( )을 가지고 있어요.	우리나라 결혼에는 '폐백'이라는 ( )이 있어요.

동휘는 크리스마스에 ( )을 돕는 봉사 활동을 했어요.	( )을 돕기 위한 모금을 시작했어요.

불우 이웃 풍습

*'풍습'은 '옛날부터 전해 오는 생활의 습관 등을 부르는 말'이에요.

이야기를 읽고, 물음에 답하세요.

며칠 있으면 설날이에요. 예은이는 부모님과 함께 기차를 타고 아빠의 고향에 있는 할머니 댁에 갈 거예요. 예은이네 할머니 댁은 멋진 기와가 있는 기와집이지요. 엄마는 시장에 가서 여러 가지 채소와 먹을거리를 사 오셨어요. 차례를 지낼 때 필요한 음식도 만드실 거래요. 예은이는 할머니 댁에 갈 생각에 벌써부터 잔뜩 기대하고 있어요. 예쁜 설빔을 차려입고 어른들께 [?] 인사드리면 모두 좋아하시겠지요?

1. 뜻을 읽고, 알맞은 낱말을 글 속의 빨간색 낱말 중에서 찾아 빈칸에 쓰세요.

① 여러 가지 상품을 사고파는 정해진 장소. ………………………… [ ]

② 설을 맞이하여 새로 마련한 옷이나 신발. ………………………… [ ]

③ 자기가 태어나서 자란 곳. ……………………………………… [ ]

2. 글 속의 [?] 안에 알맞은 낱말을 찾아 ○ 하세요.

알뜰하게	깍듯하게	주무시게

스스로 평가

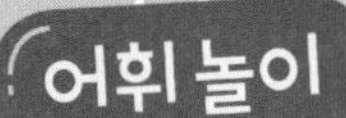

요리조리 길 찾기

팻말에 쓰인 글을 읽고, 알맞은 낱말이 쓰인 길을 따라 줄을 그으세요.

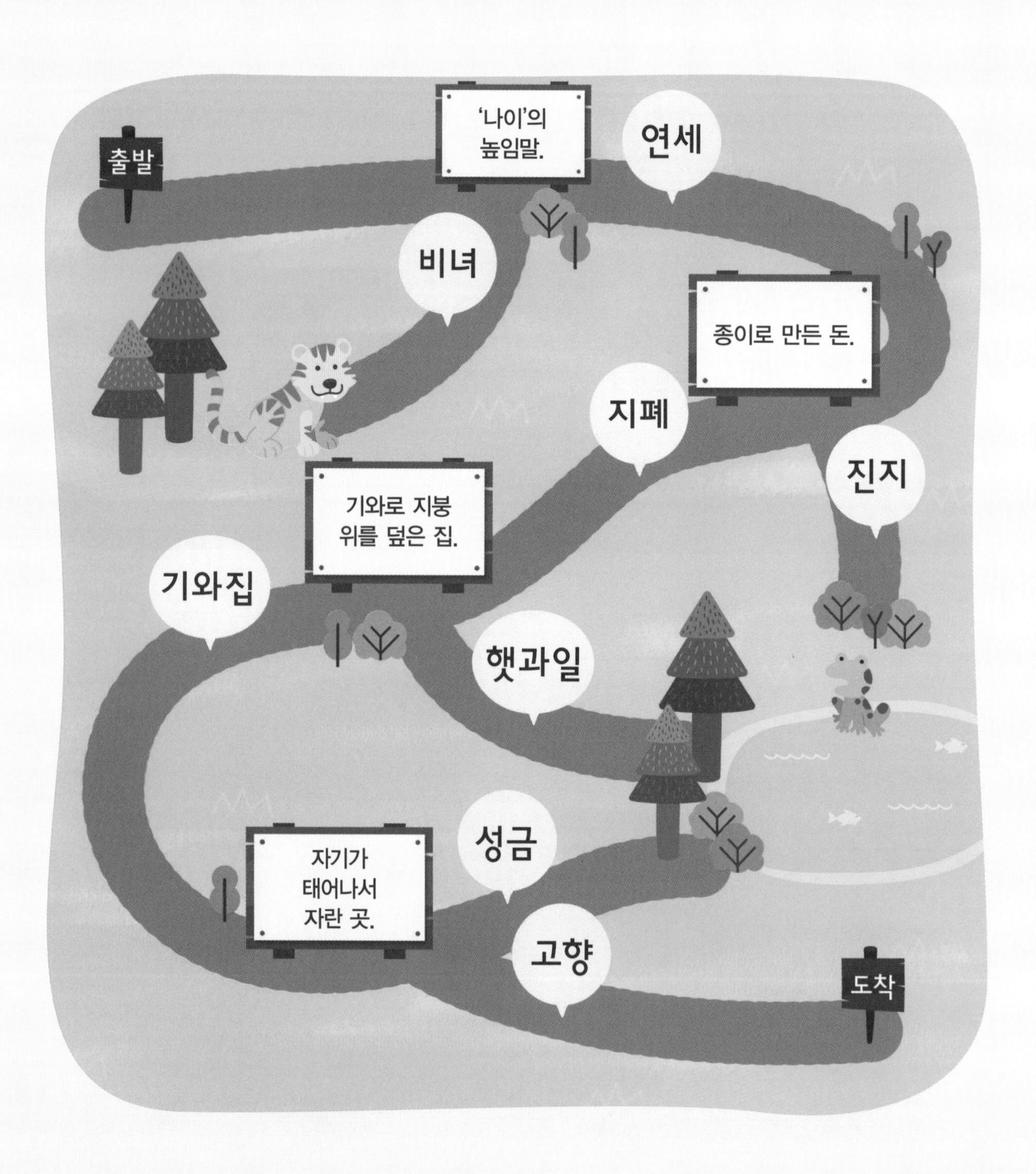

관심 있는 주제를 가운데 동그라미에 쓰고, 어휘들을
자유롭게 적으며 나만의 어휘 그물을 만들어 보세요.

내가 만드는
어휘 그물

2주

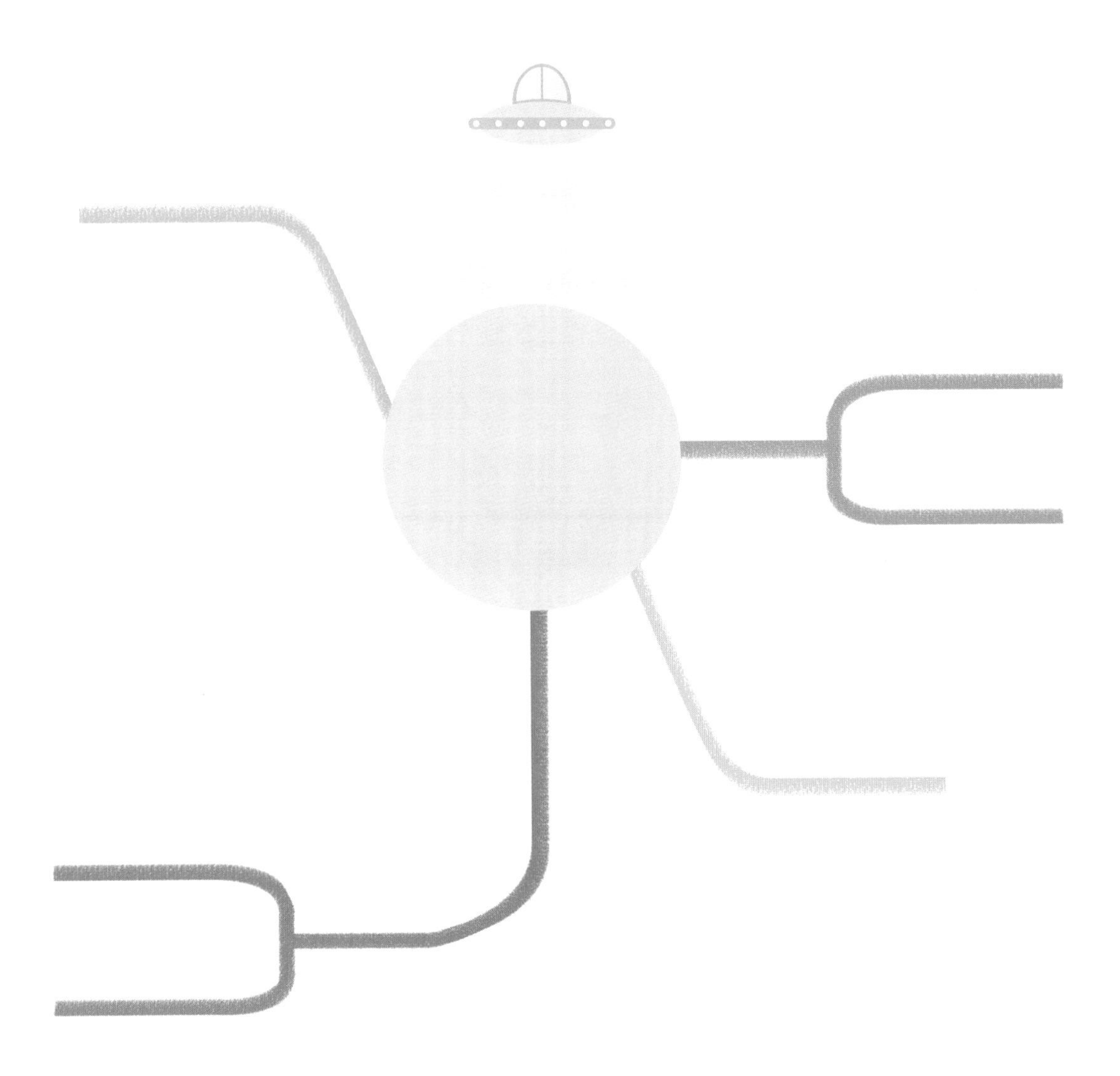

이번 주에 공부할 어휘들이에요.
어휘를 살펴보고,
알고 있는 어휘에 ✓를 하세요.
공부할 날짜를 쓰며
학습 계획도 세워 보세요.

1일 성격과 감정

공부할 날 월 일

- ☐ 고집불통
- ☐ 긴장하다
- ☐ 드러내다
- ☐ 명랑하다
- ☐ 빈둥빈둥
- ☐ 서운하다
- ☐ 앞장서다
- ☐ 억울하다
- ☐ 조마조마

2일 우정

공부할 날 월 일

- ☐ 다투다
- ☐ 독차지
- ☐ 사과하다
- ☐ 사귀다
- ☐ 위로하다
- ☐ 질투
- ☐ 토라지다
- ☐ 티격태격
- ☐ 화해하다

3일 대화

공부할 날 월 일

- [ ] 경청
- [ ] 귓속말
- [ ] 딴생각하다
- [ ] 또박또박
- [ ] 머뭇거리다
- [ ] 쑥덕거리다
- [ ] 오해
- [ ] 쫑긋쫑긋
- [ ] 퉁명스럽다

4일 친척

공부할 날 월 일

- [ ] 맞이하다
- [ ] 방문하다
- [ ] 배웅하다
- [ ] 알쏭달쏭
- [ ] 옹기종기
- [ ] 왁자지껄
- [ ] 용돈
- [ ] 헷갈리다
- [ ] 호칭

5일 어휘 복습

공부할 날 월 일

아는 어휘 개 / 
모르는 어휘 개

성격과 감정

'성격과 감정'과 관련 있는 어휘와 그 뜻을 소리 내어 읽고,
어휘 그물을 살펴보며 빈칸에 알맞은 낱말을 쓰세요.

명 □ □ □

□ 장 □ □

성격과 감정

성격*

게으름뱅이

게으르다

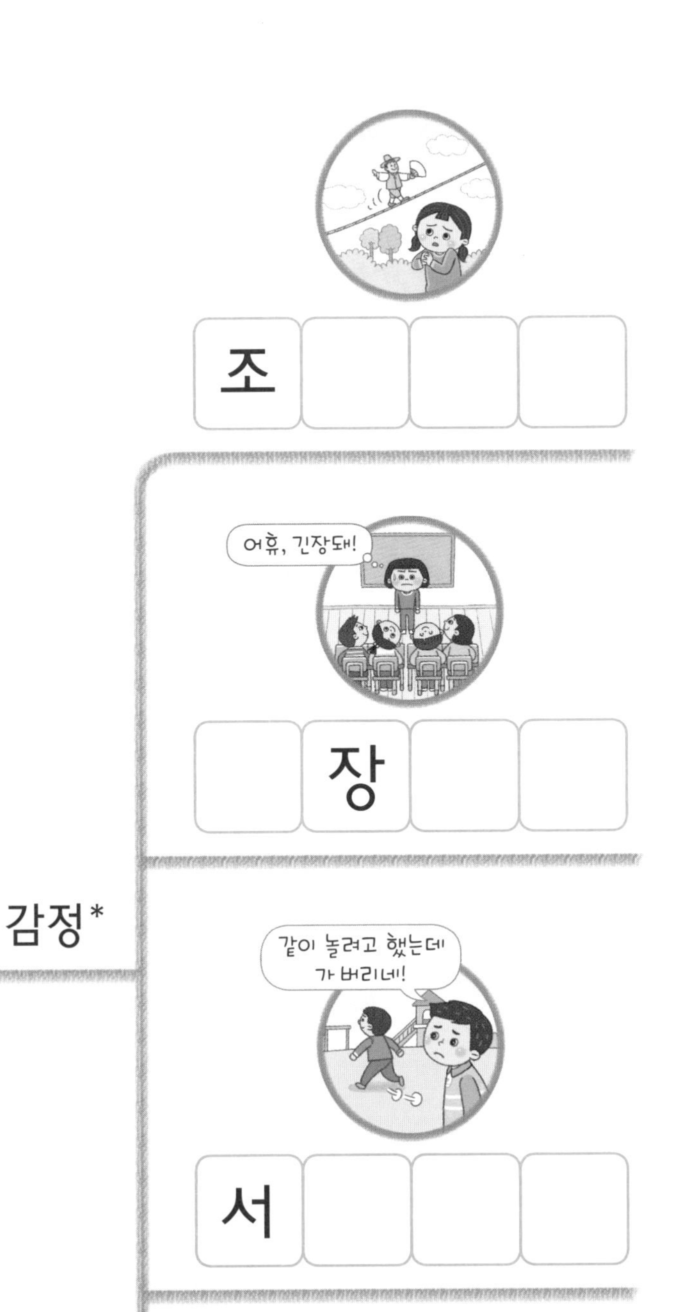

*감정: 어떤 일에 대하여 일어나는 마음이나 느끼는 기분.
*성격: 사람이 가지고 있는 됨됨이.

어휘 읽기

고집불통(固 굳을 **고** 執 잡을 **집** 不 아닐 **불** 通 통할 **통**)
고집이 세서 남의 말을 전혀 듣지 않는 것. 또는 그런 사람.

긴장(緊 팽팽할 **긴** 張 베풀 **장**)**하다**
정신을 바짝 차리고 마음을 놓지 않는다.

드러내다
가려 있거나 보이지 않던 것을 보이게 하다.

명랑(明 밝을 **명** 朗 밝을 **랑**)**하다**
유쾌하고 활발하다.

빈둥빈둥
자꾸 게으름을 피우며 아무 일도 하지 않고 놀기만 하는 모양.

서운하다
마음에 차지 않아 아쉽거나 섭섭하다.

앞장서다
어떤 일을 할 때에 가장 먼저 나서다.

억울(抑 누를 **억** 鬱 답답할 **울**)**하다**
아무 잘못 없이 꾸중을 듣거나 벌을 받거나 하여 화가 나고 답답하다.

조마조마
앞으로 닥칠 일이 걱정되어 마음이 불안한 모양.

1일 어휘 학습

뜻을 읽고, 알맞은 낱말을 보기 에서 찾아 빈칸에 쓰세요.

보기	앞장서다	명랑하다	긴장하다	서운하다	드러내다

① 가려 있거나 보이지 않던 것을 보이게 하다. ························ [ ]

② 마음에 차지 않아 아쉽거나 섭섭하다. ························ [ ]

③ 어떤 일을 할 때에 가장 먼저 나서다. ························ [ ]

④ 유쾌하고 활발하다. ························ [ ]

⑤ 정신을 바짝 차리고 마음을 놓지 않는다. ························ [ ]

글을 읽고, ( ) 안에 들어갈 알맞은 낱말을 찾아 선으로 이으세요.

수아는 ( )이라서 남의 말을 잘 듣지 않아요.	• •	빈둥빈둥
하는 일 없이 ( ) 놀기만 하면 안 돼요.	• •	억울해요
잘못한 것도 없는데 꾸지람을 들으면 ( ).	• •	고집불통
사나운 개가 있을까 봐 ( ) 마음을 졸였어요.	• •	조마조마

한자어

‘고(固)’와 ‘명(明)’의 뜻을 읽고, 알맞은 낱말을 보기 에서 찾아 빈칸에 쓰세요.

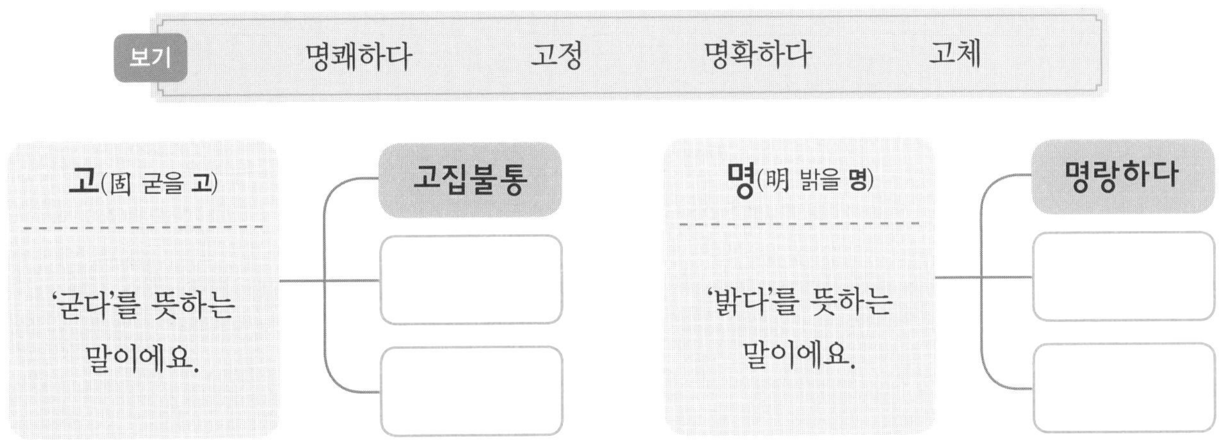

* ‘명쾌하다’는 ‘말이나 글의 내용이 뚜렷하여 시원하다’를, ‘고정’은 ‘한곳에 붙어 있거나 붙어 있게 함’을, ‘명확하다’는 ‘아주 뚜렷하고 확실하다’를, ‘고체’는 ‘담는 그릇이 바뀌어도 모양과 크기가 변하지 않는 물질의 상태’를 뜻해요.

유의어

낱말을 읽고, 비슷한말을 찾아 선으로 이으세요.

속담

만화를 보고, 상황에 어울리는 속담이 되도록 흐린 글자를 따라 쓰세요.

▶속담 ‘술에 술 탄 듯 물에 물 탄 듯’은 ‘명확한 자기 생각이 없이 말이나 행동이 분명하지 않다’는 뜻이에요.

스스로 평가

우정

'우정'과 관련 있는 어휘와 그 뜻을 소리 내어 읽고, 어휘 그물을 살펴보며 빈칸에 알맞은 낱말을 쓰세요.

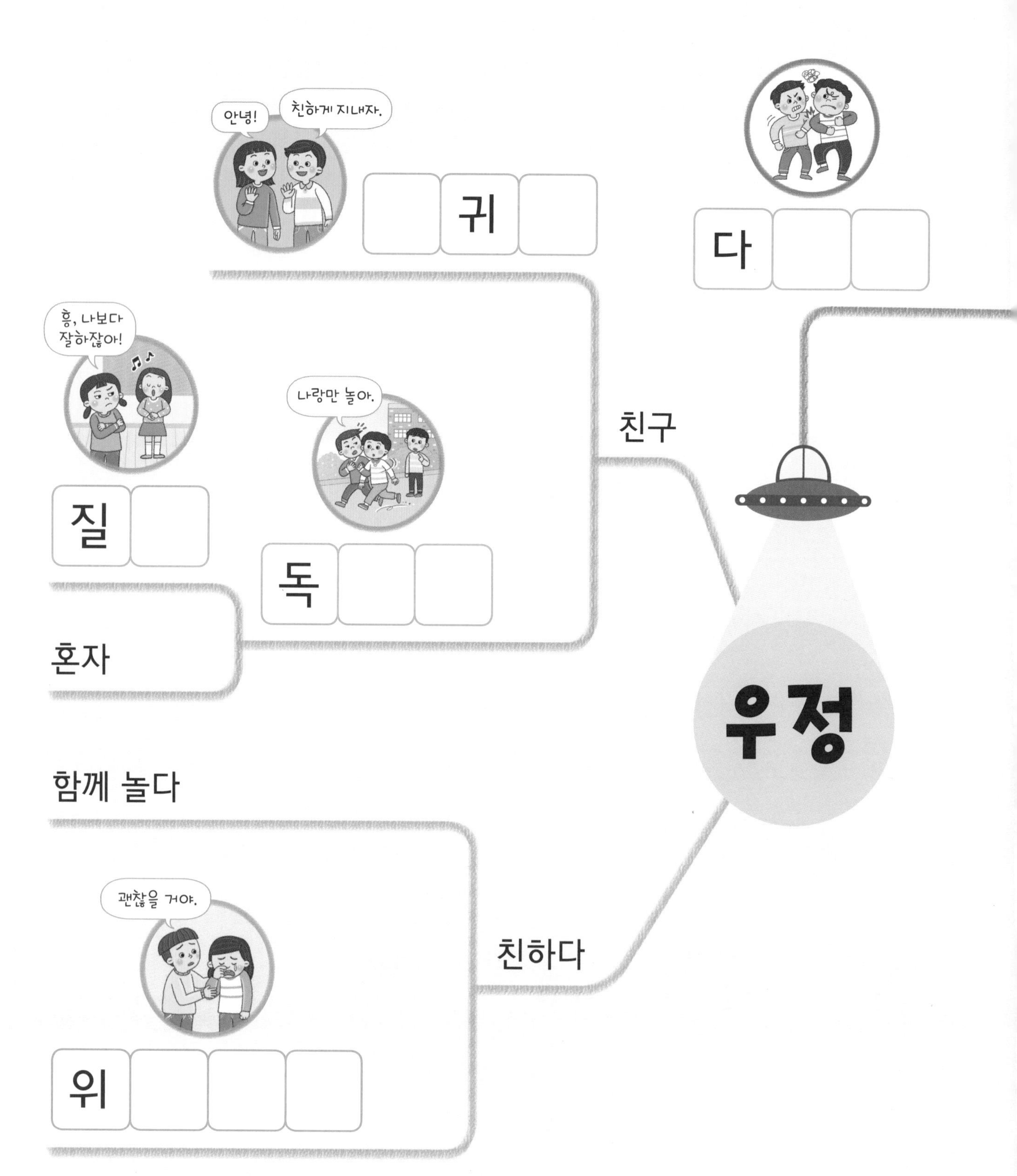

어휘 읽기

다투다
의견이나 생각이 달라 서로 따지며 싸우다.

독(獨 홀로 **독**)**차지**
혼자 다 가짐.

사과(謝 사례할 **사** 過 지날 **과**)**하다**
자기의 잘못을 인정하고 용서를 빌다.

사귀다
서로 얼굴을 익히고 친하게 지내다.

위로(慰 위로할 **위** 勞 일할 **로**)**하다**
따뜻한 말이나 행동으로 몸과 마음을 달래 주다.

질투(嫉 미워할 **질** 妬 샘낼 **투**)
남이 잘되는 것을 샘내고 미워하는 것.

토라지다
자기 마음에 들지 않거나 성이 난다고 팽 돌아서다.

티격태격
서로 이러니저러니 따지면서 싸우는 모양.

화해(和 화목할 **화** 解 풀 **해**)**하다**
서로 다투던 사람들이 서로를 이해하여 다시 사이좋게 되다.

2일 어휘 학습

뜻을 읽고, 알맞은 낱말을 찾아 선으로 이으세요.

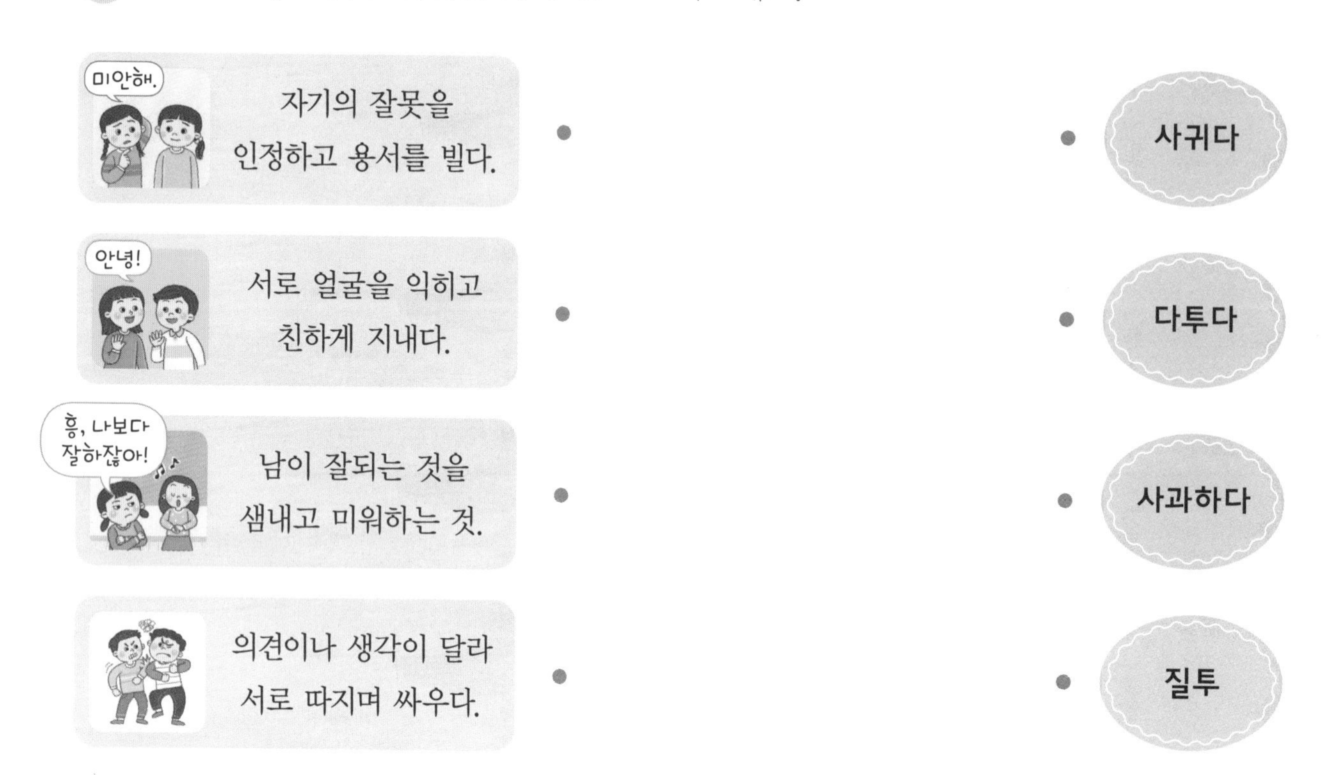

글을 읽고, 바른 문장이 되도록 알맞은 낱말을 보기 에서 찾아 빈칸에 쓰세요.

보기 티격태격 화해할 위로해요 토라졌어요 독차지

① 아이는 아빠가 장난감을 안 사 준다고 팽 [ ].

② 은호는 집안 사람들의 사랑을 [ ] 했어요.

③ 쌍둥이 형제는 서로 자기가 옳다고 [ ] 말다툼을 해요.

④ 어제 친구랑 싸웠는데 오늘 [ ] 거예요.

⑤ 소진이는 아끼는 인형을 잃어버린 친구를 [ ].

연상 어휘

그림을 보고, 떠오르는 낱말을 보기 에서 찾아 빈칸에 쓰세요.

유의어

낱말을 읽고, 비슷한말을 찾아 선으로 이으세요.

사자성어

만화를 보고, 상황에 맞는 말이 되도록 ? 안에 알맞은 흐린 글자를 따라 쓰세요.

▶ 사자성어 '죽마고우'는 '대나무로 만든 말을 타고 놀던 친구'라는 뜻으로, 어릴 때부터 같이 놀며 자란 친구를 말해요.

스스로 평가

대화

'대화'와 관련 있는 어휘와 그 뜻을 소리 내어 읽고, 어휘 그물을 살펴보며 빈칸에 알맞은 낱말을 쓰세요.

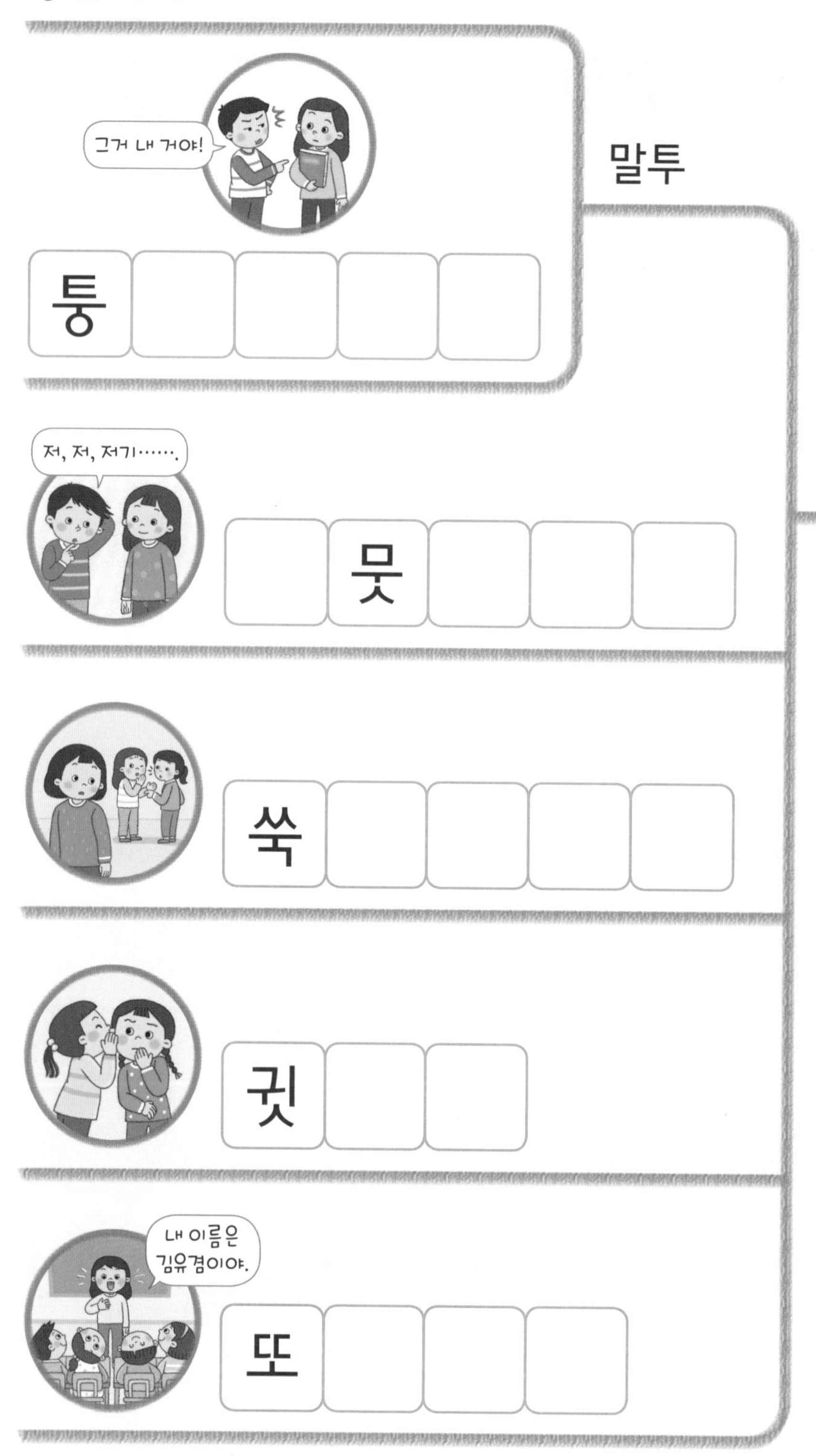

쫑

경

딴

오

*공손하다: 말이나 행동이 예의 바르다.

어휘 읽기

경청(傾 기울 **경** 聽 들을 **청**)
남의 말을 귀 기울여 열심히 들음.

귓속말
귀에 대고 작게 소곤거리는 말.

딴생각하다
주의를 기울이지 않고 다른 생각을 하다.

또박또박
말을 또렷하게 하거나 글씨를 잘 알아보게 쓰는 모양.

머뭇거리다
말이나 행동을 선뜻하지 못하고 망설이다.

쑥덕거리다
여럿이 모여서 남이 잘 알아듣지 못하게 작은 소리로 이야기하다.

오해(誤 그릇할 **오** 解 풀 **해**)
어떤 사실을 잘못 알거나 잘못 받아들이는 것.

쫑긋쫑긋
귀를 빳빳이 세우거나 입술을 뾰족하게 내미는 모양.

퉁명스럽다
말씨나 행동이 화가 난 것처럼 무뚝뚝하다.

3일 어휘 학습

뜻을 읽고, 알맞은 낱말을 보기 에서 찾아 빈칸에 쓰세요.

보기 경청 오해 귓속말 딴생각하다 또박또박

① 어떤 사실을 잘못 알거나 잘못 받아들이는 것. ……………… [ ]

② 남의 말을 귀 기울여 열심히 들음. ……………… [ ]

③ 말을 또렷하게 하거나 글씨를 잘 알아보게 쓰는 모양. ……………… [ ]

④ 귀에 대고 작게 소곤거리는 말. ……………… [ ]

⑤ 주의를 기울이지 않고 다른 생각을 하다. ……………… [ ]

글을 읽고, ( ) 안에 들어갈 알맞은 낱말을 찾아 선으로 이으세요.

현주는 기분이 나빠서 ( ) 말했어요.	• •	쫑긋쫑긋
쉬는 시간에 아이들끼리 모여 작은 소리로 ( ).	• •	머뭇거려요
토끼가 작은 소리에도 귀를 ( ) 세워요.	• •	퉁명스럽게
동휘가 가게 앞에서 선뜻 들어가지 못하고 ( ).	• •	쑥덕거려요

연상 어휘

그림을 보고, 떠오르는 낱말을 보기 에서 찾아 빈칸에 쓰세요.

보기 비밀 속닥속닥

한자어

'청(聽)'과 '해(解)'의 뜻을 읽고, 알맞은 낱말을 보기 에서 찾아 빈칸에 쓰세요.

보기 도청 이해 화해 시청

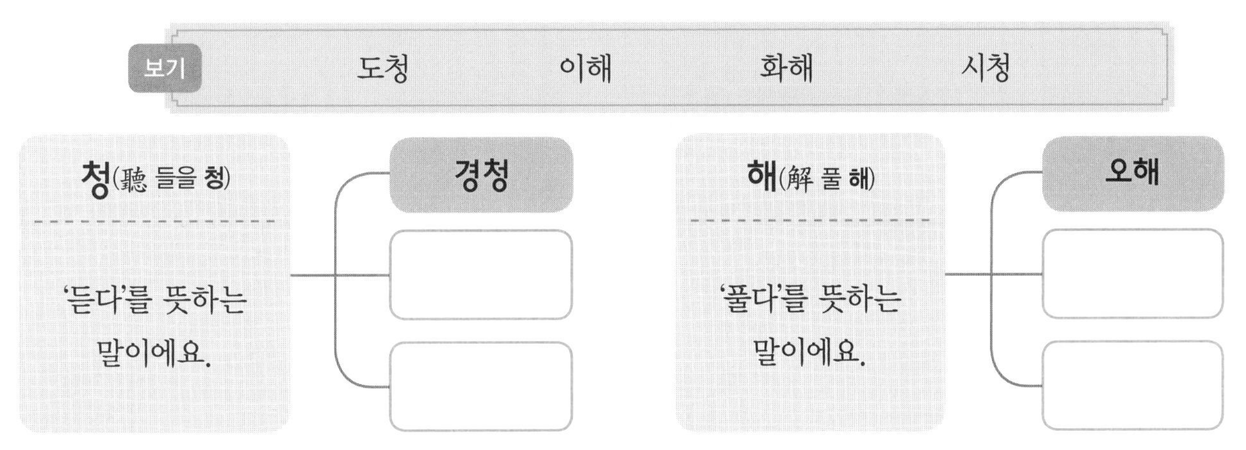

* '도청'은 '남의 이야기를 몰래 엿들음'을, '이해'는 '잘 헤아려 받아들임'을, '시청'은 '눈으로 보고 귀로 들음'을 뜻해요.

속담

만화를 보고, 상황에 어울리는 속담이 되도록 흐린 글자를 따라 쓰세요.

▶ 속담 '발 없는 말이 천 리 간다'는 '말은 비록 발이 없지만 천 리 밖까지도 순식간에 퍼진다'라는 뜻으로, 말을 조심해야 함을 뜻해요.

스스로 평가

친척

'친척'과 관련 있는 어휘와 그 뜻을 소리 내어 읽고, 어휘 그물을 살펴보며 빈칸에 알맞은 낱말을 쓰세요.

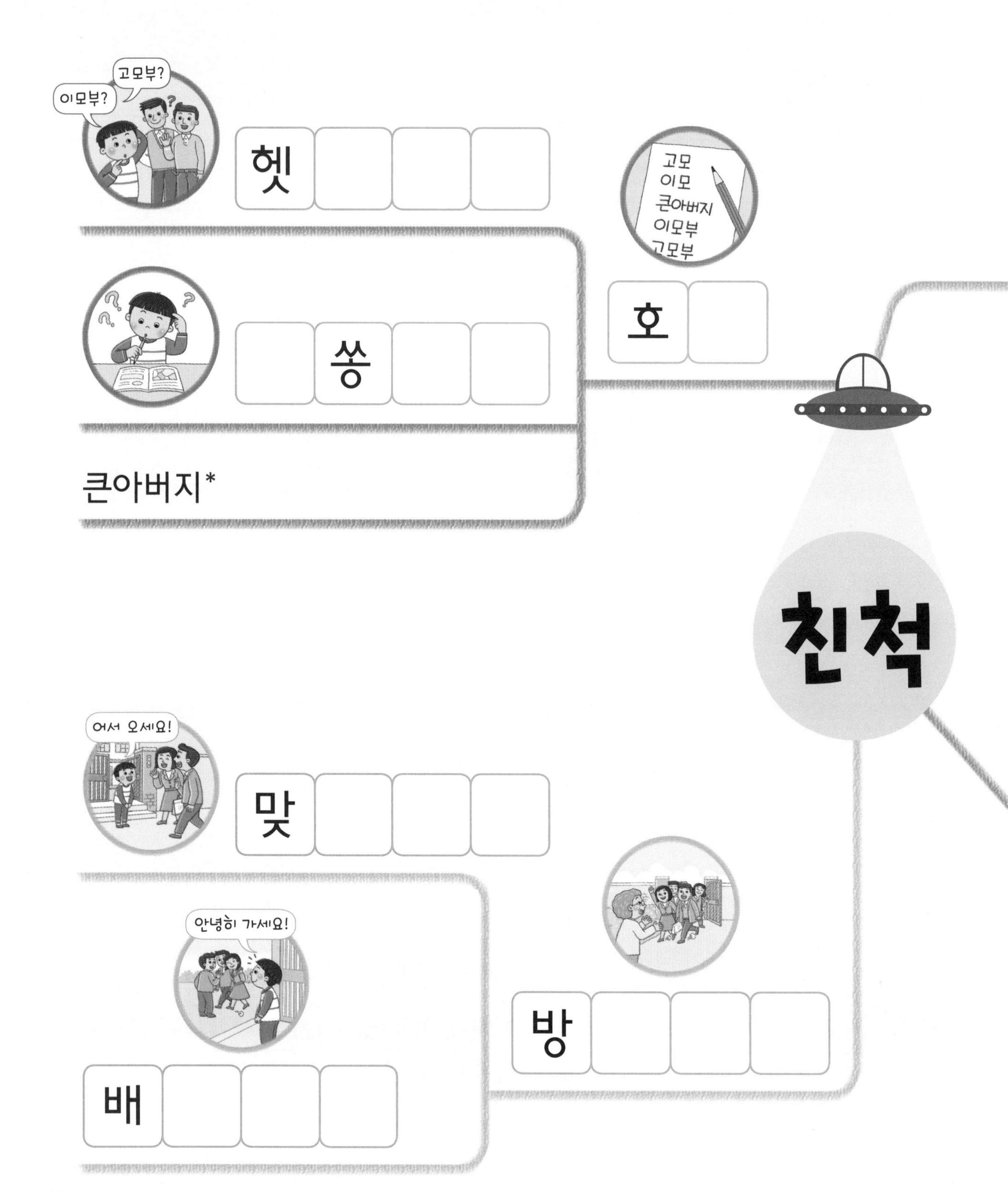

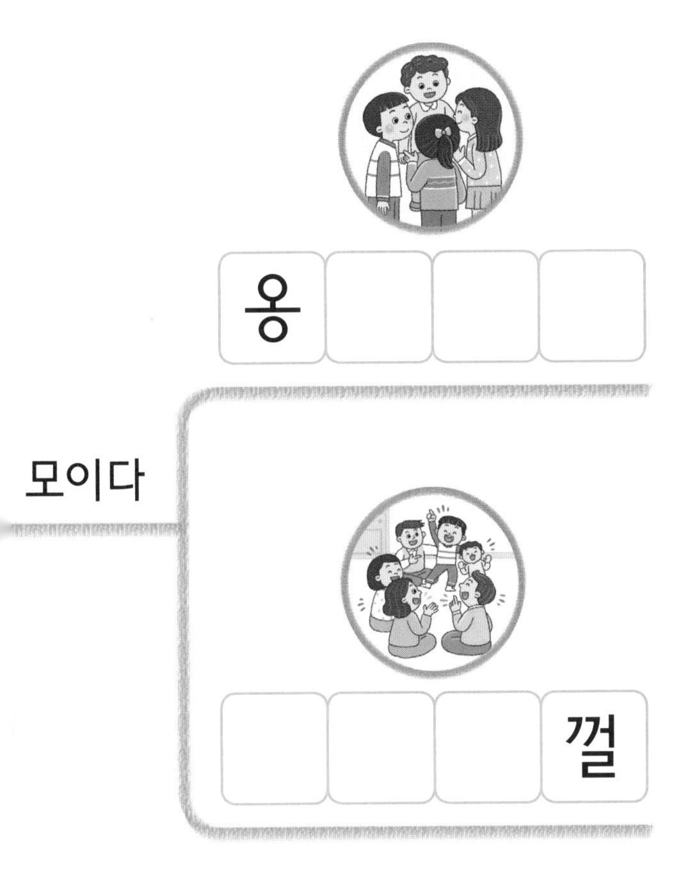

*큰아버지: 아버지의 형을 부르는 말.

어휘 읽기

맞이하다
오는 것을 맞다.

방문(訪 찾을 **방** 問 물을 **문**)**하다**
어떤 곳이나 사람을 찾아가다.

배웅하다
떠나는 사람을 따라 나가서 보내다.

알쏭달쏭
그런 것 같기도 하고 아닌 것 같기도 하여 얼른 알 수가 없는 모양.

옹기종기
크기가 다른 물건이나 사람 여럿이 모여 있는 모양.

왁자지껄
여럿이 한곳에 모여 시끄럽게 마구 떠드는 소리나 모양.

용(用 쓸 **용**)**돈**
개인이 자질구레하게 쓰는 돈.

헷갈리다
여럿이 뒤섞여 쉽게 알아차리지 못하다.

호칭(呼 부를 **호** 稱 일컬을 **칭**)
이름 지어 부름. 또는 그 이름.

뜻을 읽고, 알맞은 낱말을 찾아 선으로 이으세요.

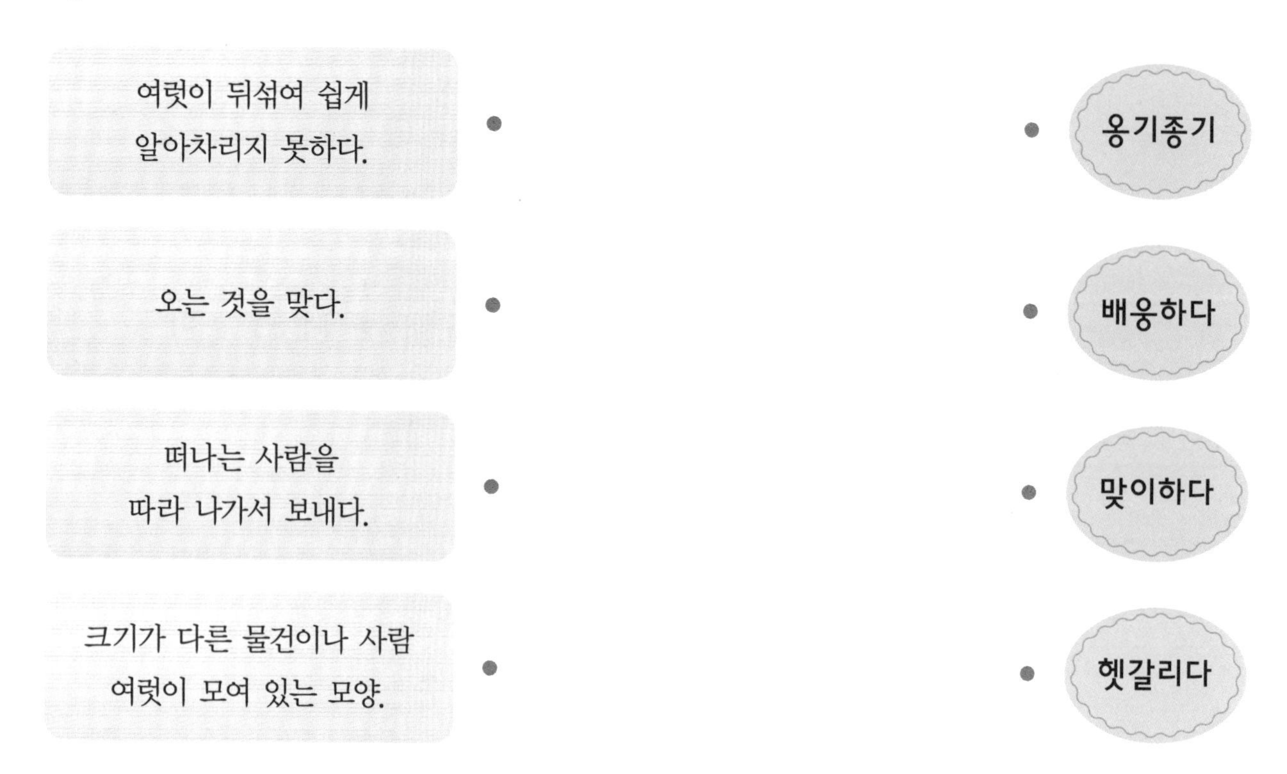

글을 읽고, 바른 문장이 되도록 알맞은 낱말을 보기 에서 찾아 빈칸에 쓰세요.

보기 알쏭달쏭 용돈 방문할 왁자지껄 호칭

① 할머니는 옆집 아저씨를 선생님이라는 ( ) 으로 불러요.

② 시험 문제의 답이 ( ) 해서 답을 못 적었어요.

③ 교실에서 ( ) 떠드는 소리가 나요.

④ 할아버지께서 책을 사 보라며 ( ) 을 주셨어요.

⑤ 내일 우리 집에 아빠 친구 가족이 ( ) 거예요.

연상 어휘

그림을 보고, 떠오르는 낱말을 보기 에서 찾아 빈칸에 쓰세요.

보기 맞히다 수수께끼

유의어

낱말을 읽고, 비슷한말을 찾아 선으로 이으세요.

* '혼동되다'는 '구별되지 못하고 뒤섞여 생각되다'를 뜻해요.

속담

만화를 보고, 상황에 어울리는 속담이 되도록 흐린 글자를 따라 쓰세요.

▶ 속담 '팔이 안으로 굽지 밖으로 굽나'는 '자기나 자기와 가까운 사람에게 정이 더 쏠리거나 더 좋은 쪽으로 무엇인가를 해 주는 것은 사람으로서 드는 당연한 마음이다'라는 뜻이에요.

스스로 평가

국어 뜻을 읽고, 알맞은 낱말과 그 낱말이 들어갈 문장을 찾아 선으로 이으세요.

자기의 잘못을 인정하고 용서를 빌다.	어떤 장소에서 어떤 일이 일어나는 모습.	아무것도 신지 않은 발.	얼굴의 근육이나 눈살을 몹시 찡그리다.

맨발 **사과하다** **찌푸리다** **장면**

아빠가 편지를 보며 이마를 잔뜩 (　　　).

찬희가 싸웠던 친구에게 (　　　).

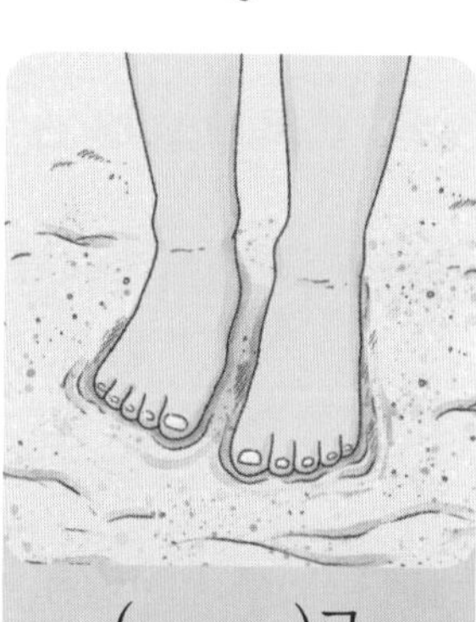

(　　　)로 모래밭을 걸어요.

이야기의 한 (　　　)을 그려요.

국어 글을 읽고, 바른 문장이 되도록 알맞은 낱말을 보기에서 찾아 빈칸에 쓰세요.

보기 시무룩해졌어요 볼록해요 오누이 옹기종기 빌렸어요

① 소풍을 못 간다는 말에 은서는 ____________.

② 태권도 학원에 같이 다니는 현수와 현지는 ____________ 사이예요.

③ 친구들이랑 텔레비전 앞에 ____________ 모여 만화 영화를 봤어요.

④ 통통한 아기 엉덩이가 동그랗고 ____________.

⑤ 집에 망치가 없어서 할아버지가 이웃에게 망치를 ____________.

* '시무룩하다'는 '마음에 못마땅하여 말이 없고 얼굴 표정이 좋지 않다'를 뜻하고, '오누이'는 '오빠와 여동생을 함께 이르는 말'이에요.

수학 뜻을 읽고, 알맞은 낱말을 찾아 선으로 이으세요.

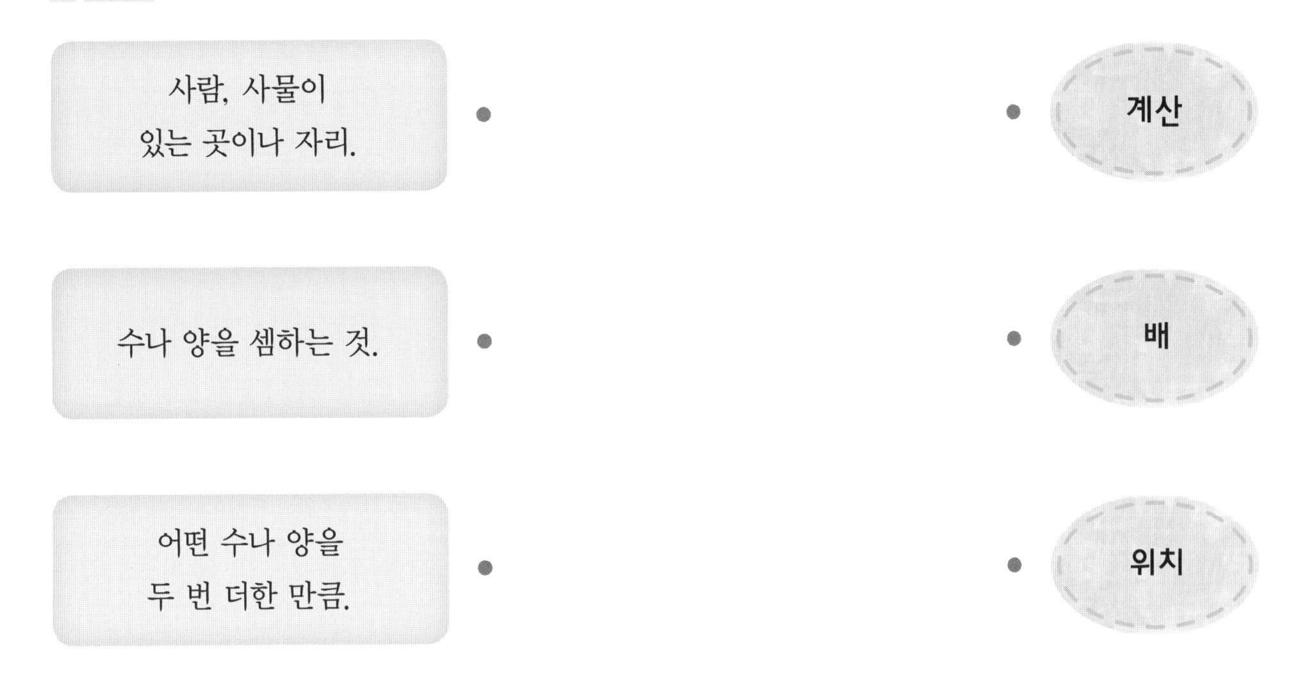

통합교과 글을 읽고, 바른 문장이 되도록 알맞은 낱말을 보기 에서 찾아 쓰세요.

보기 알쏭달쏭 입꼬리 변덕쟁이 수줍어서

① 예나는 이랬다저랬다 마음이 자꾸 바뀌는 (　　　) 예요.

② 준영이는 좋아하는 친구 앞에만 가면 (　　　) 얼굴이 빨개져요.

③ 엄마가 기분이 좋아 (　　　) 를 올리며 웃어요.

④ 수수께끼의 답이 무엇인지 (　　　) 생각이 잘 나지 않아요.

* '변덕쟁이'는 '이랬다저랬다 하는 사람을 이르는 말'이에요.

통합교과 글을 읽고, (　) 안에 똑같이 들어갈 낱말을 찾아 선으로 이으세요.

신우는 일찍 자고 일찍 일어나는 (　　)이 있어요.	늦잠을 자는 (　　)은 고쳐야 해요.

새끼손가락으로 콧구멍을 (　　).	주영이는 손가락으로 귀를 (　　).

습관

후벼요

이야기를 읽고, 물음에 답하세요.

오늘은 혜림이가 전학 간 새 학교에서 새 선생님과 새 친구들을 만나는 날이에요. 학교에 가니 선생님이 긴장한 혜림이를 따뜻하게 [?] 주셨어요. 선생님은 혜림이를 왁자지껄 시끄러운 교실로 데리고 갔어요. 아이들이 혜림이를 보며 귓속말을 하고, 쑥덕거리는 것도 같았지요. 혜림이는 침을 꿀꺽 삼키고는 자기 이름을 또박또박 말했어요. 그러자 아이들이 환하게 웃으며 박수를 치지 뭐예요. 혜림이 얼굴이 금세 환해졌어요. 새 학교에서 잘 지낼 수 있을 것 같아요.

1. 뜻을 읽고, 알맞은 낱말을 글 속의 빨간색 낱말 중에서 찾아 빈칸에 쓰세요.

① 여럿이 한곳에 모여 시끄럽게 마구 떠드는 소리나 그 모양. ………… [ ]

② 말을 또렷하게 하거나 글씨를 잘 알아보게 쓰는 모양. ……………… [ ]

③ 귀에 대고 작게 소곤거리는 말. ………………………………………… [ ]

2. 글 속의 [?] 안에 알맞은 낱말을 찾아 ○ 하세요.

배웅해 서운해 맞이해

스스로 평가

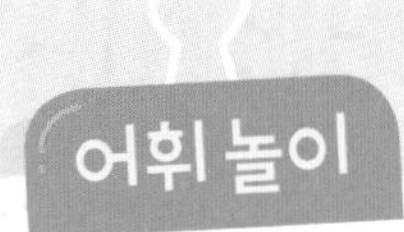

요리조리 길 찾기

팻말에 쓰인 글을 읽고, 알맞은 낱말이 쓰인 길을 따라 줄을 그으세요.

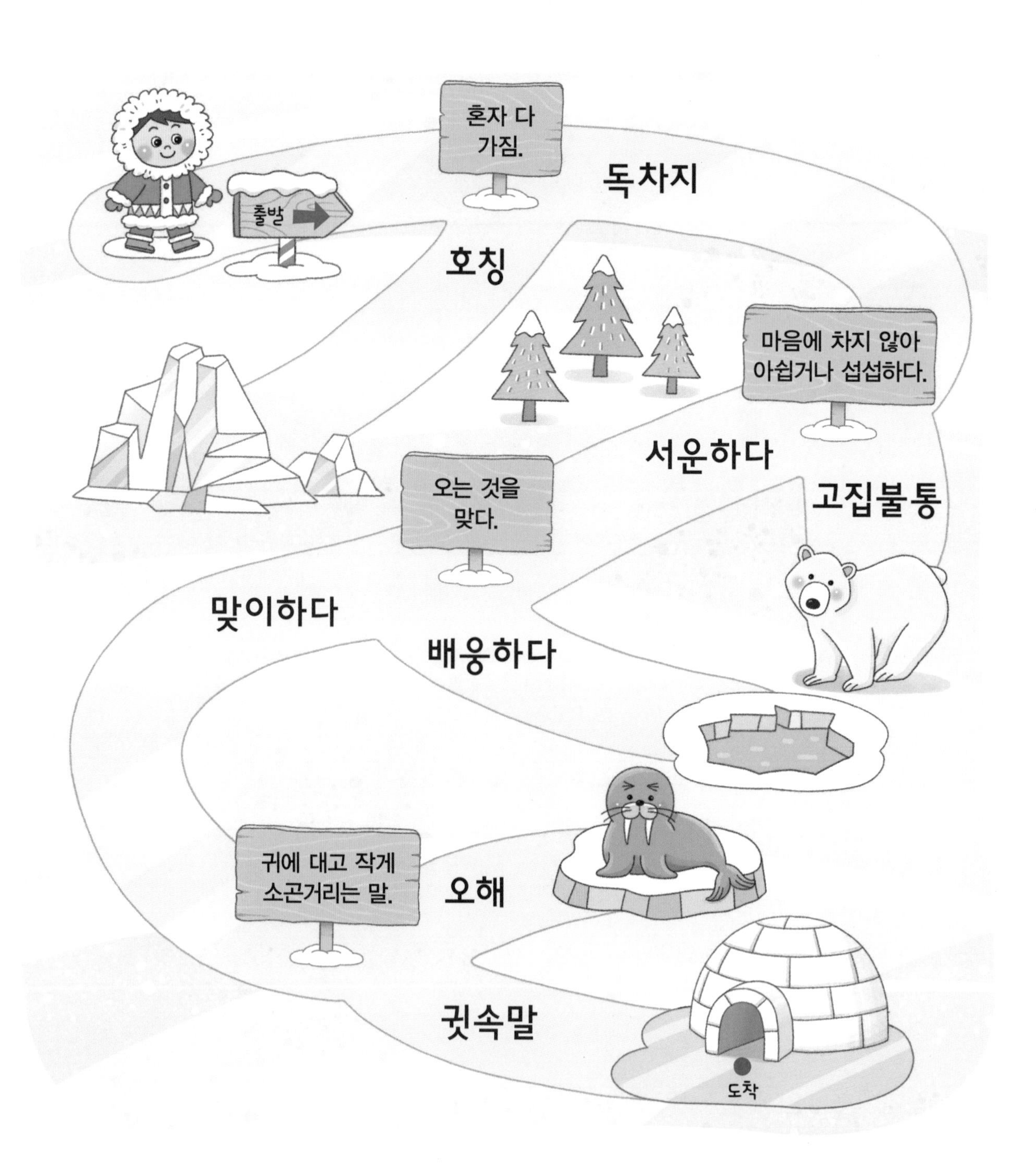

내가 만드는 어휘 그물

관심 있는 주제를 가운데 동그라미에 쓰고, 어휘들을
자유롭게 적으며 나만의 어휘 그물을 만들어 보세요.

3주

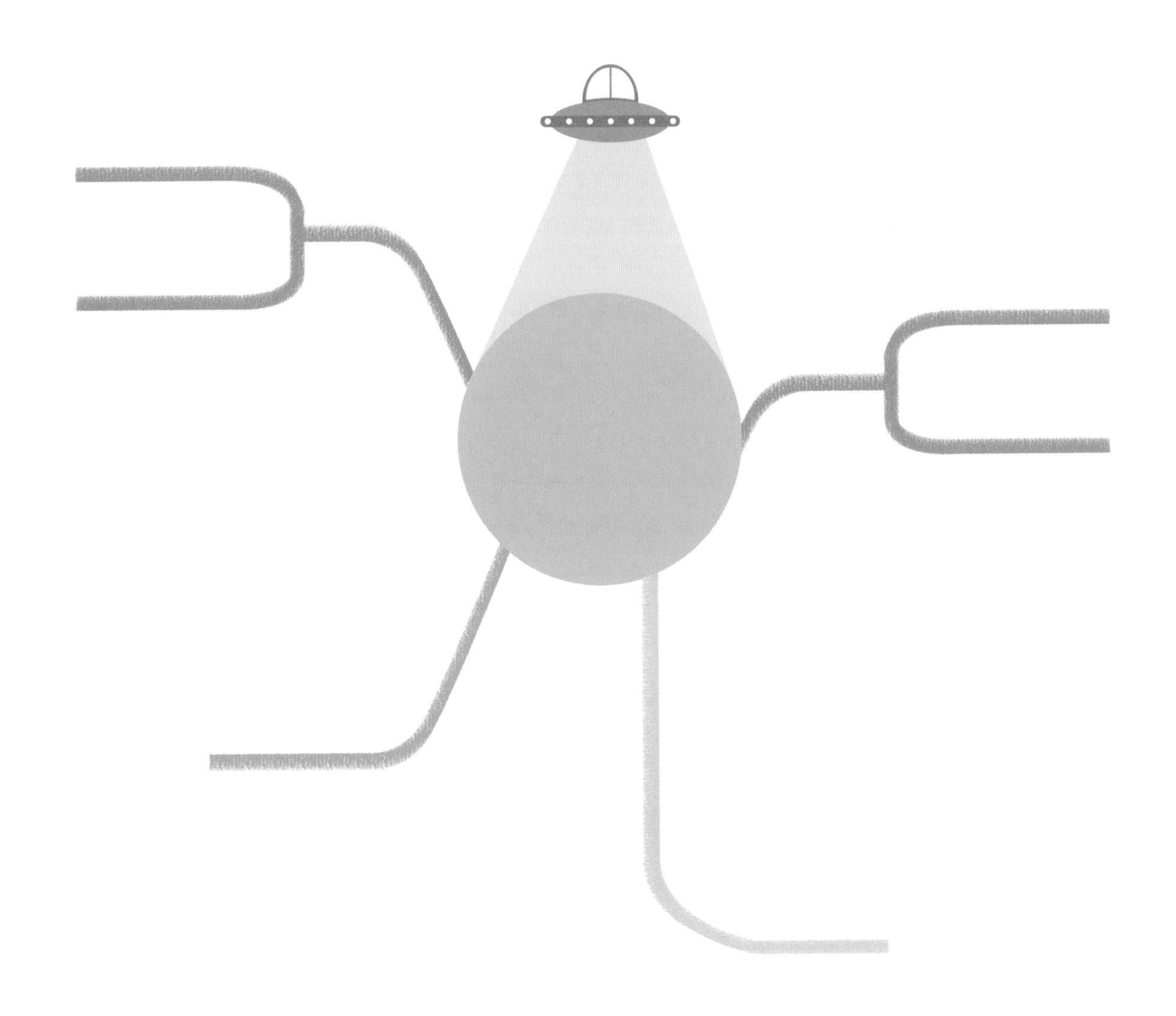

1일 봄

공부할 날 　　월 　　일

- ☐ 꽃샘추위
- ☐ 날씨
- ☐ 마스크
- ☐ 모내기
- ☐ 아지랑이
- ☐ 움트다
- ☐ 일교차
- ☐ 일기 예보
- ☐ 황사

2일 여름

공부할 날 　　월 　　일

- ☐ 냉방기
- ☐ 무더위
- ☐ 방학
- ☐ 열대야
- ☐ 장마
- ☐ 태풍
- ☐ 폭염
- ☐ 피서
- ☐ 화채

3일 가을

공부할 날 월 일

- [ ] 곡식
- [ ] 단풍
- [ ] 무르익다
- [ ] 수확
- [ ] 이삭
- [ ] 추수
- [ ] 탐스럽다
- [ ] 풍년
- [ ] 허수아비

4일 겨울

공부할 날 월 일

- [ ] 고뿔
- [ ] 대설
- [ ] 매섭다
- [ ] 맹추위
- [ ] 빙판
- [ ] 영하
- [ ] 한파
- [ ] 함박눈
- [ ] 혹독하다

5일 어휘 복습

공부할 날 월 일

아는 어휘 개 / 모르는 어휘 개

어휘 그물

1일

봄

'봄'과 관련 있는 어휘와 그 뜻을 소리 내어 읽고, 어휘 그물을 살펴보며 빈칸에 알맞은 낱말을 쓰세요.

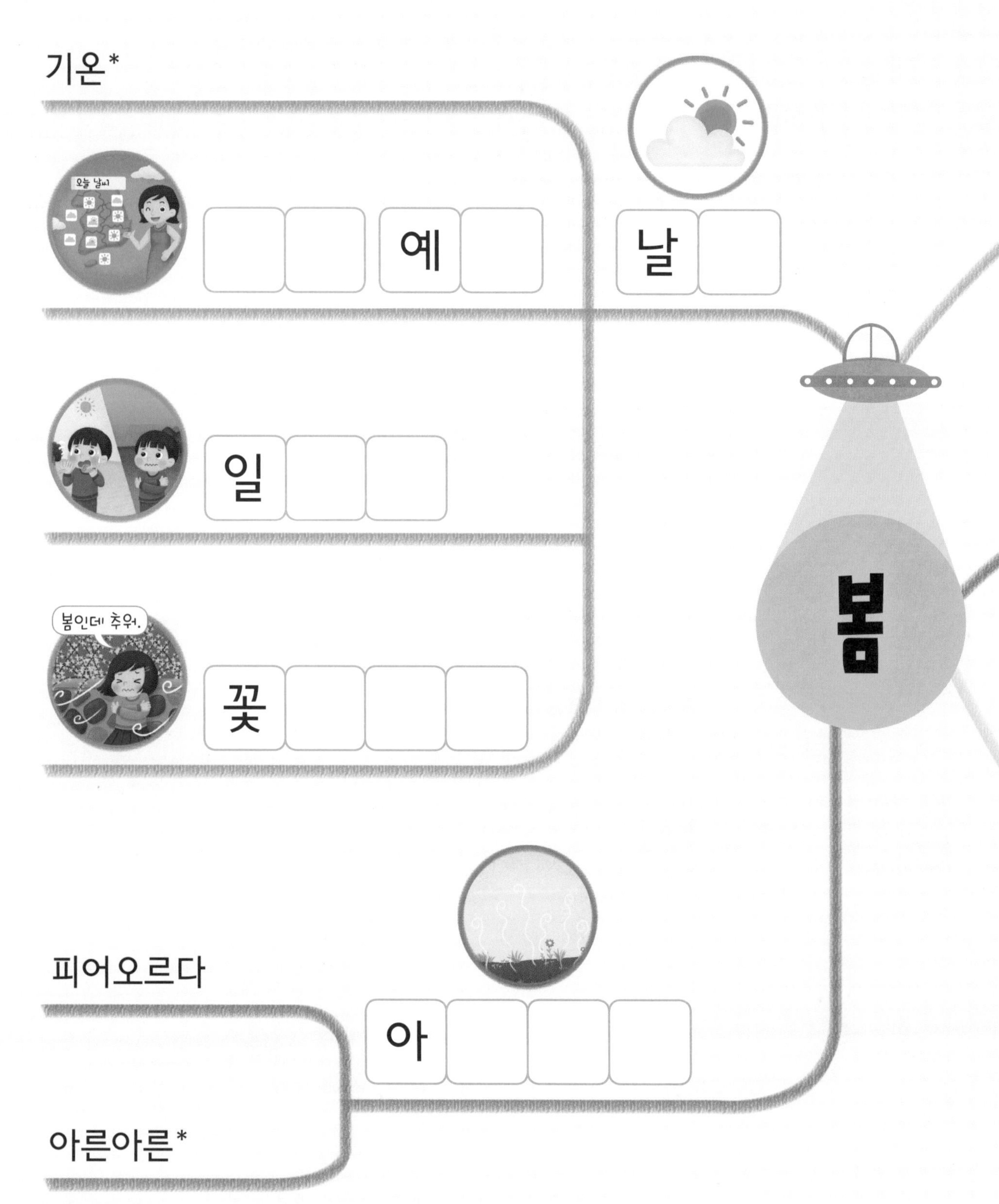

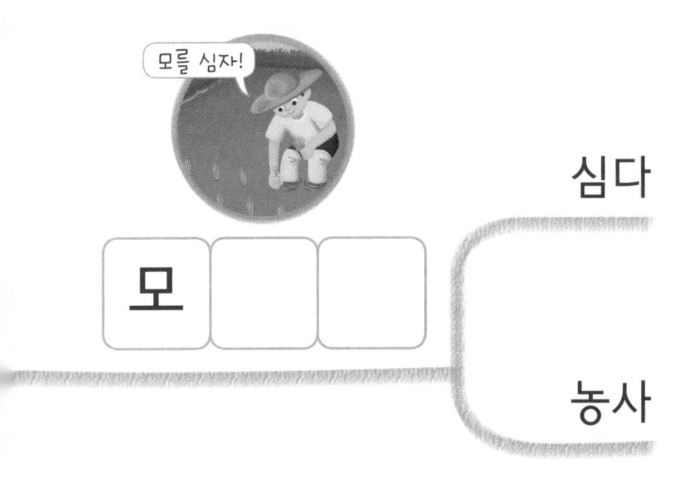

*기온: 공기의 온도.
*아른아른: 무엇이 희미하게 보이다 말다 하는 모양.

어휘 읽기

꽃샘추위
이른 봄, 꽃이 필 무렵의 추위.

날씨
그날그날의 비, 구름, 바람, 기온 등이 나타나는 기상 상태.

마스크
병균이나 먼지 등이 들어오지 않도록 입과 코를 가리는 물건.

모내기
벼의 싹을 논으로 옮겨 심는 일.

아지랑이
주로 봄날 햇빛이 강하게 비칠 때 공기가 하늘과 땅 사이에서 아른아른 움직이는 상태.

움트다
싹이 새로 돋아 나오기 시작하다.

일교차
(日 해 **일** 較 비교할 **교** 差 다를 **차**)
기온, 습도, 기압 등이 하루 동안에 바뀌어 달라지는 차이.

일기 예보(日 해 **일** 氣 기운 **기** 豫 미리 **예** 報 알릴 **보**)
날씨의 변화를 짐작하여 미리 알리는 일.

황사(黃 누를 **황** 沙 모래 **사**)
중국 사막이나 황토 지역의 가는 모래가 강한 바람에 날아올랐다가 조금씩 내려오는 것.

1일 어휘 학습

✎ 뜻을 읽고, 알맞은 낱말을 찾아 선으로 이으세요.

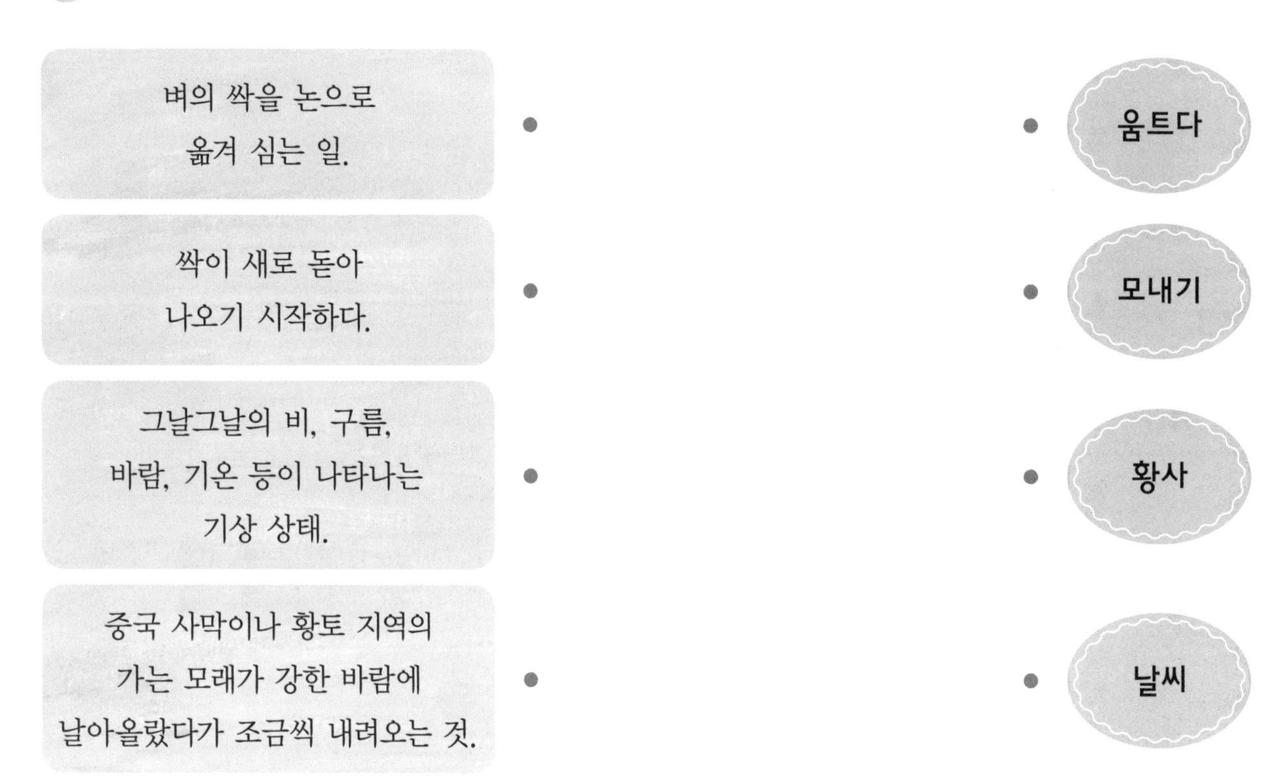

✎ 글을 읽고, 바른 문장이 되도록 알맞은 낱말을 보기 에서 찾아 빈칸에 쓰세요.

보기 아지랑이 마스크 꽃샘추위 일기 예보 일교차

① 아침저녁의 ☐ 가 큰 날은 얇은 옷을 여러 벌 껴입는 것이 좋아요.

② 봄이 되니 아른아른 ☐ 가 피어요.

③ ☐ 에 따르면 소풍날은 날씨가 맑을 거래요.

④ 먼지가 많아 ☐ 를 쓰고 밖에 나갔어요.

⑤ 3월이 되었지만 ☐ 때문에 매우 추워요.

연상 어휘

그림을 보고, 떠오르는 낱말을 보기 에서 찾아 빈칸에 쓰세요.

보기 농사짓다 논

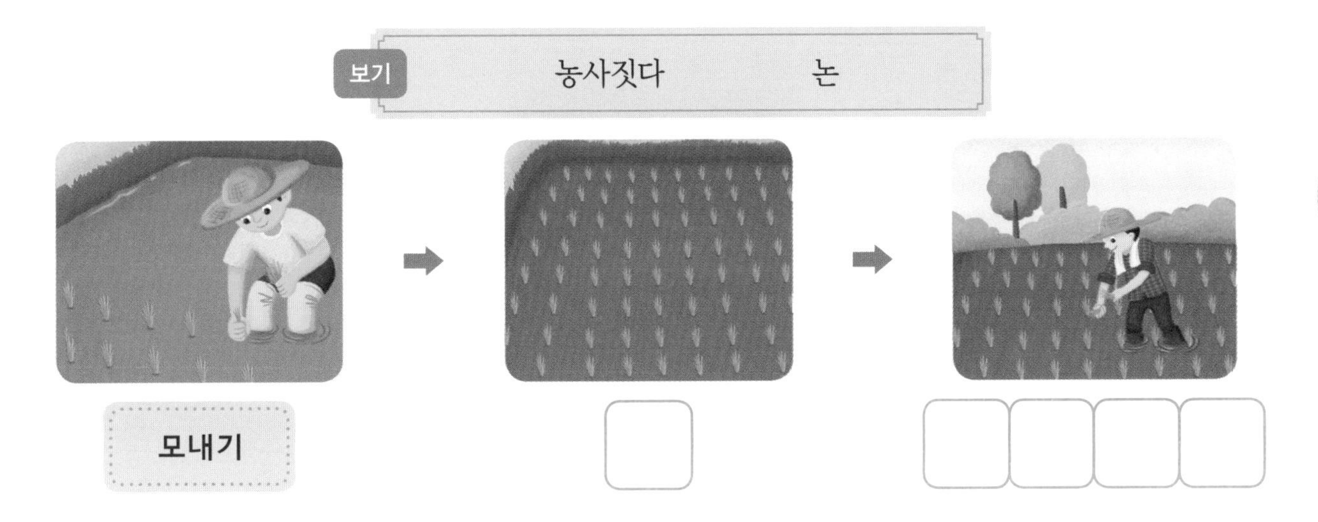

유의어

낱말을 읽고, 비슷한말을 찾아 선으로 이으세요.

속담

만화를 보고, 상황에 어울리는 속담이 되도록 흐린 글자를 따라 쓰세요.

겨울바람이 봄바람 보고 춥다 한다

▶속담 '겨울바람이 봄바람 보고 춥다 한다'는 '자기의 잘못이나 실수는 생각지도 않고 남의 잘못만 나무라는 경우'를 뜻해요.

스스로 평가

어휘 그물

2일

여름

'여름'과 관련 있는 어휘와 그 뜻을 소리 내어 읽고, 어휘 그물을 살펴보며 빈칸에 알맞은 낱말을 쓰세요.

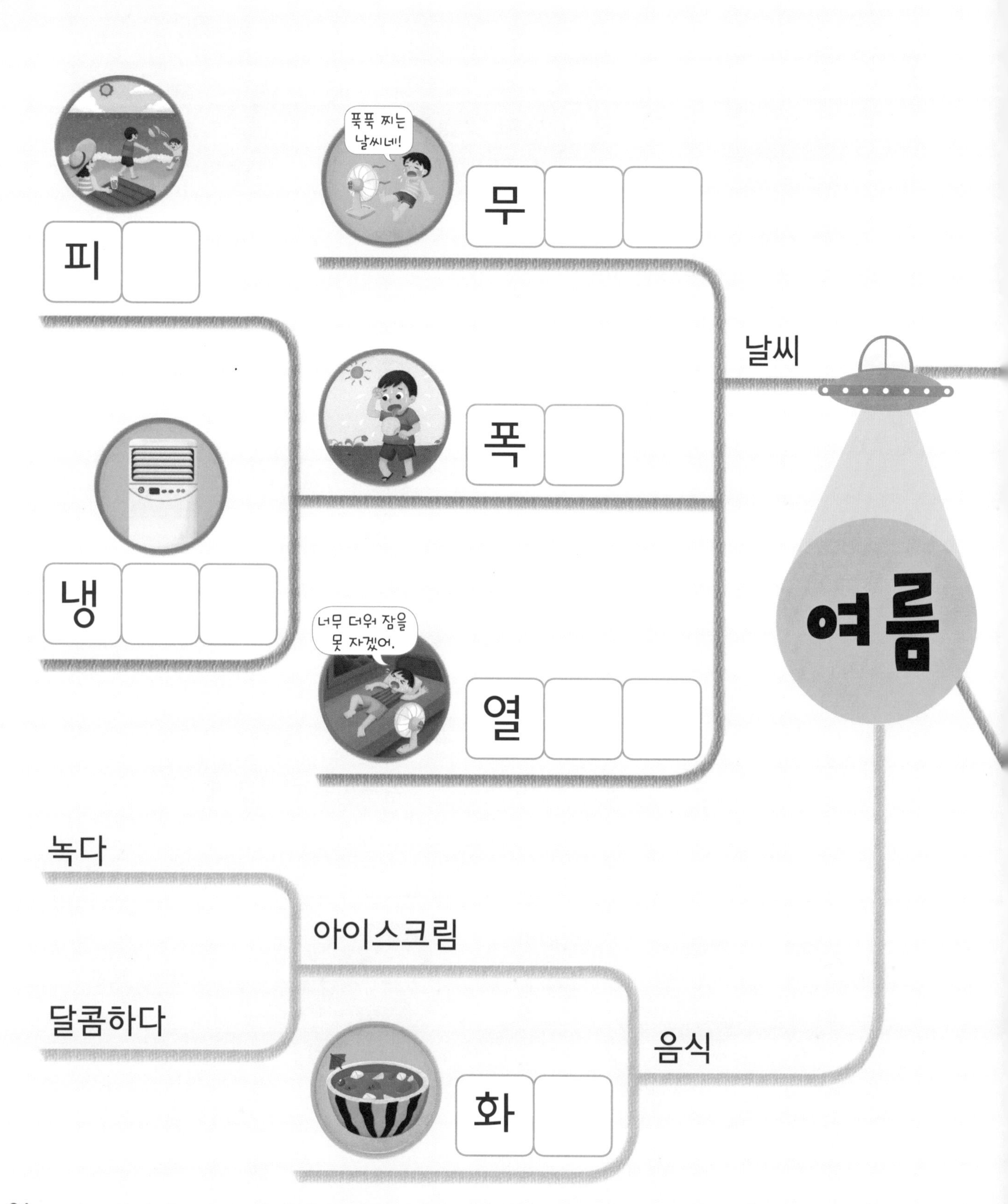

어휘 읽기

냉방기(冷 찰 **냉** 房 방 **방** 機 기계 **기**)
실내의 온도를 낮추어 공기를 차갑게 하는 장치.

무더위
기온이 매우 높고 습하여 찌는 듯해 견디기 어려운 더위.

방학(放 놓을 **방** 學 배울 **학**)
더위나 추위가 심한 때 정해진 기간 동안 수업을 쉬는 일.

열대야(熱 더울 **열** 帶 띠 **대** 夜 밤 **야**)
방 바깥의 온도가 25도가 넘는 무더운 밤.

장마
여름철에 여러 날 동안 계속해서 비가 내리는 날씨.

태풍(颱 태풍 **태** 風 바람 **풍**)
몹시 거센 폭풍우와 함께 오는 열대 저기압.

폭염(暴 사나울 **폭** 炎 불꽃 **염**)
매우 심한 더위.

피서(避 피할 **피** 暑 더울 **서**)
더위를 피하여 시원한 곳으로 옮김.

화채(花 꽃 **화** 菜 나물 **채**)
꿀이나 설탕을 탄 물 등에 과일을 썰어 넣어 여름에 차게 해서 마시는 전통 음료.

여름 방학

방

여행

숙제

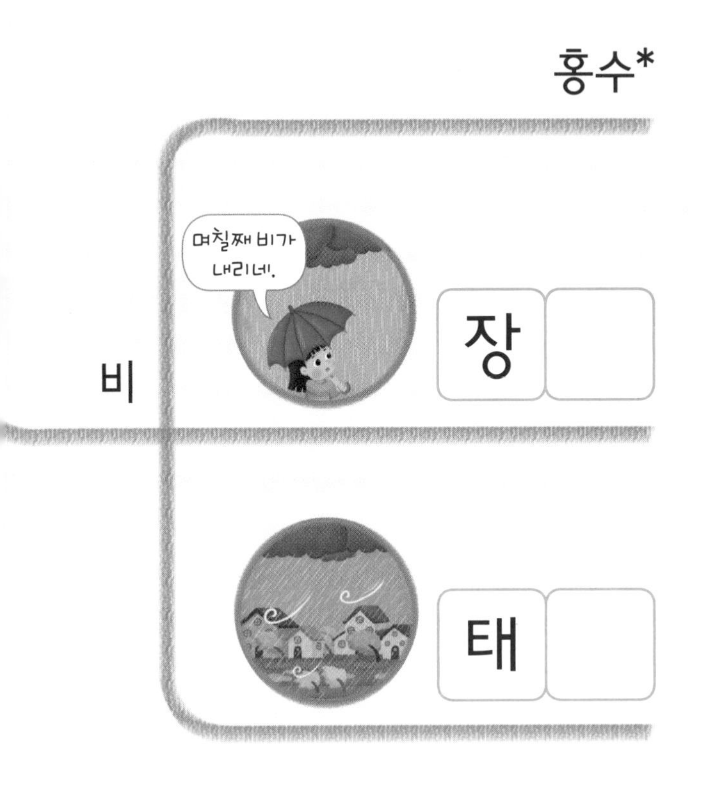

*홍수: 비가 많이 와서 강이나 내에 갑자기 물이 크게 불어남.

2일 어휘 학습

뜻을 읽고, 알맞은 낱말을 보기 에서 찾아 빈칸에 쓰세요.

보기 피서 화채 폭염 열대야 장마

① 꿀이나 설탕을 탄 물 등에 과일을 썰어 넣어 여름에 차게 해서 마시는 전통 음료. ....

② 더위를 피하여 시원한 곳으로 옮김. ....

③ 방 바깥의 온도가 25도가 넘는 무더운 밤. ....

④ 매우 심한 더위. ....

⑤ 여름철에 여러 날 동안 계속해서 비가 내리는 날씨. ....

글을 읽고, (　　) 안에 들어갈 알맞은 낱말을 찾아 선으로 이으세요.

여름에 에어컨 같은 (　　)를 세게 틀면 감기에 걸릴 수 있어요. • 　　　　• 태풍

(　　)이 심하게 불어 나무가 넘어졌어요. • 　　　　• 방학

지우는 (　　) 때 가족들과 여행을 가기로 했어요. • 　　　　• 무더위

여름 내내 찌는 듯한 (　　)가 계속되었어요. • 　　　　• 냉방기

연상 어휘

그림을 보고, 떠오르는 낱말을 보기 에서 찾아 빈칸에 쓰세요.

보기 그림일기 숙제

반의어

낱말을 읽고, 반대말을 찾아 선으로 이으세요.

속담

만화를 보고, 상황에 어울리는 속담이 되도록 흐린 글자를 따라 쓰세요.

▶속담 '가물에 콩 나듯'은 '가물(가뭄)에는 심은 콩이 제대로 싹이 트지 못하여 띄엄띄엄 난다'는 뜻으로, 어떤 일이나 물건이 어쩌다 하나씩 생기는 경우를 나타내는 말이에요.

스스로 평가

4 주

어휘 그물

3일

가을

'가을'과 관련 있는 어휘와 그 뜻을 소리 내어 읽고, 어휘 그물을 살펴보며 빈칸에 알맞은 낱말을 쓰세요.

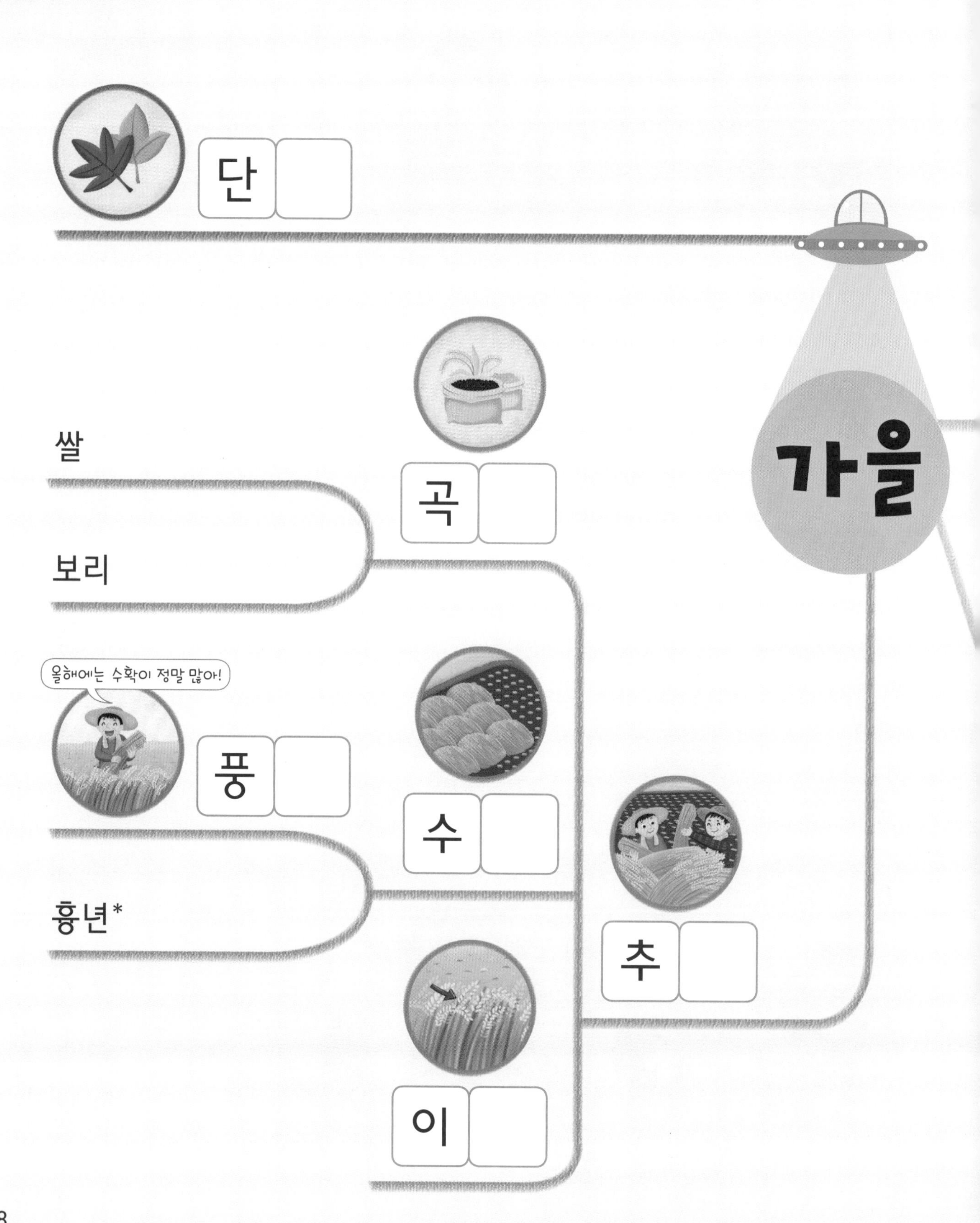

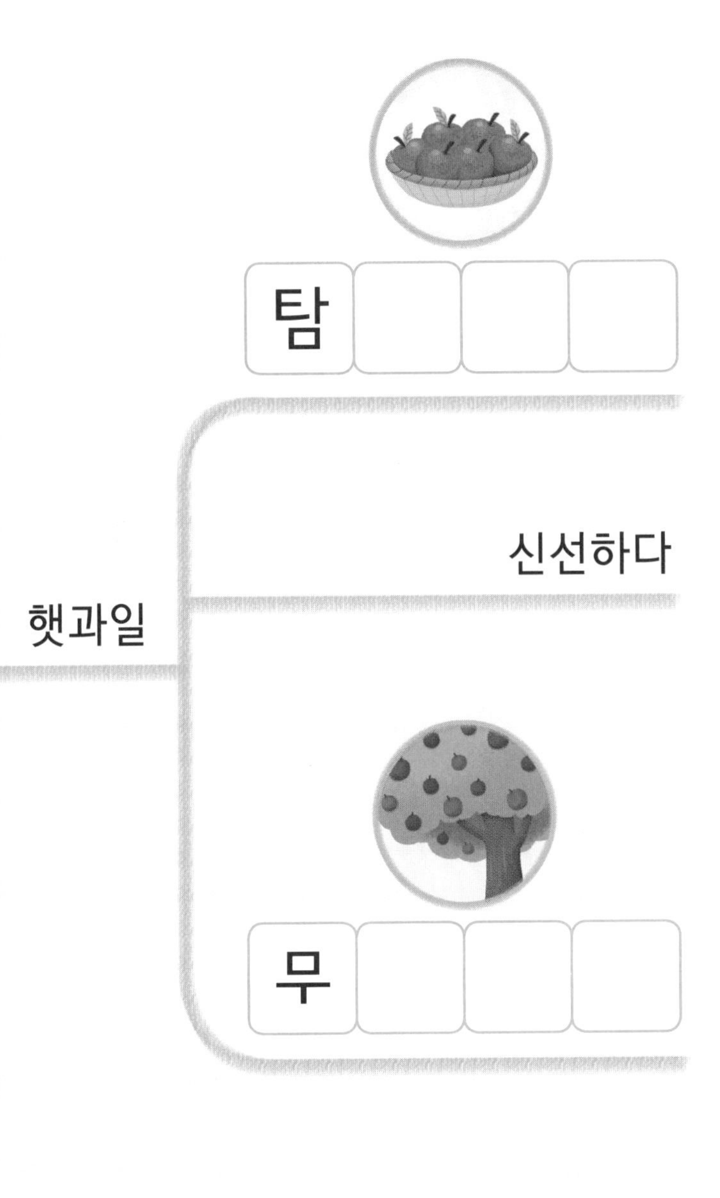

허

*흉년: 농작물이 보통 때와 비교하여 잘되지 않아 수확이 적은 해.

어휘 읽기

곡식(穀 곡식 **곡** 食 밥 **식**)
사람의 식량이 되는 쌀, 보리, 콩, 조, 수수, 밀 등을 모두 합하여 부르는 말.

단풍(丹 붉을 **단** 楓 단풍 **풍**)
식물의 잎이 붉은빛이나 누런빛으로 변하는 것. 또는 그렇게 변한 잎.

무르익다
과일이나 곡식 등이 충분히 익다.

수확(收 거둘 **수** 穫 거둘 **확**)
충분히 익은 농작물을 거두어들임.

이삭
벼, 보리 등의 곡식에서 열매가 수북하게 열리는 부분.

추수(秋 가을 **추** 收 거둘 **수**)
가을에 익은 곡식을 거두어들임.

탐스럽다
보았을 때 마음이 몹시 끌리도록 좋은 데가 있다.

풍년(豊 풍년 **풍** 年 해 **년**)
곡식이 잘 자라고 여물어 보통 때보다 수확이 많은 해.

허수아비
곡식을 해치는 새나 짐승을 막기 위하여 막대기와 짚 등으로 만들어 논밭에 세우는 사람 모양의 물건.

3일 어휘 학습

뜻을 읽고, 알맞은 낱말을 보기에서 찾아 빈칸에 쓰세요.

보기: 무르익다 　 수확 　 이삭 　 허수아비 　 단풍

① 벼, 보리 등의 곡식에서 열매가 수북하게 열리는 부분. ⋯⋯⋯⋯⋯ [ ]

② 식물의 잎이 붉은빛이나 누런빛으로 변하는 것. 또는 그렇게 변한 잎. ⋯⋯⋯⋯⋯ [ ]

③ 충분히 익은 농작물을 거두어들임. ⋯⋯⋯⋯⋯ [ ]

④ 과일이나 곡식 등이 충분히 익다. ⋯⋯⋯⋯⋯ [ ]

⑤ 곡식을 해치는 새나 짐승을 막기 위하여 막대기와 짚 등으로 만들어 논밭에 세우는 사람 모양의 물건. ⋯⋯⋯⋯⋯ [ ]

글을 읽고, (　　) 안에 들어갈 알맞은 낱말을 찾아 선으로 이으세요.

올해에는 (　　　)이 들어 곡식을 많이 거두었어요.	• 　 •	추수
가을이 되어 논에는 (　　　)가 한창이에요.	• 　 •	풍년
나무에 (　　　) 사과가 주렁주렁 열렸어요.	• 　 •	곡식
여러 가지 (　　　)으로 오곡밥을 지었어요.	• 　 •	탐스러운

연상 어휘

그림을 보고, 떠오르는 낱말을 보기 에서 찾아 빈칸에 쓰세요.

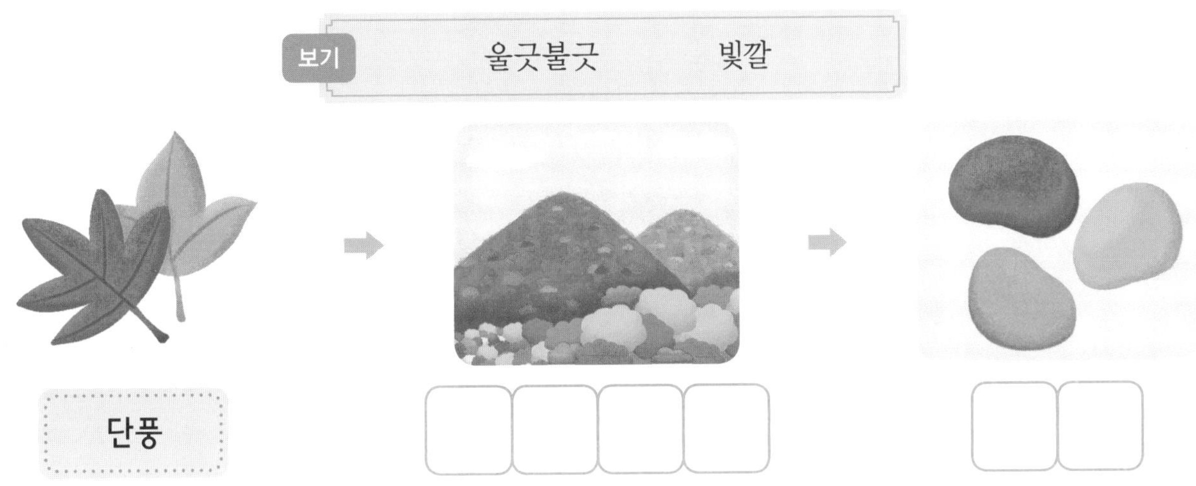

* '빛깔'은 '물체가 빛을 받을 때 나타나는 빛'을 뜻해요.

유의어

낱말을 읽고, 비슷한말을 찾아 선으로 이으세요.

사자성어

만화를 보고, 상황에 맞는 말이 되도록 ? 안에 알맞은 흐린 글자를 따라 쓰세요.

▶사자성어 '천고마비'는 '하늘이 높고 말이 살찐다'는 뜻으로, 하늘이 맑아 높푸르게 보이고 온갖 곡식이 익는 가을철을 나타내요.

스스로 평가

겨울

'겨울'과 관련 있는 어휘와 그 뜻을 소리 내어 읽고, 어휘 그물을 살펴보며 빈칸에 알맞은 낱말을 쓰세요.

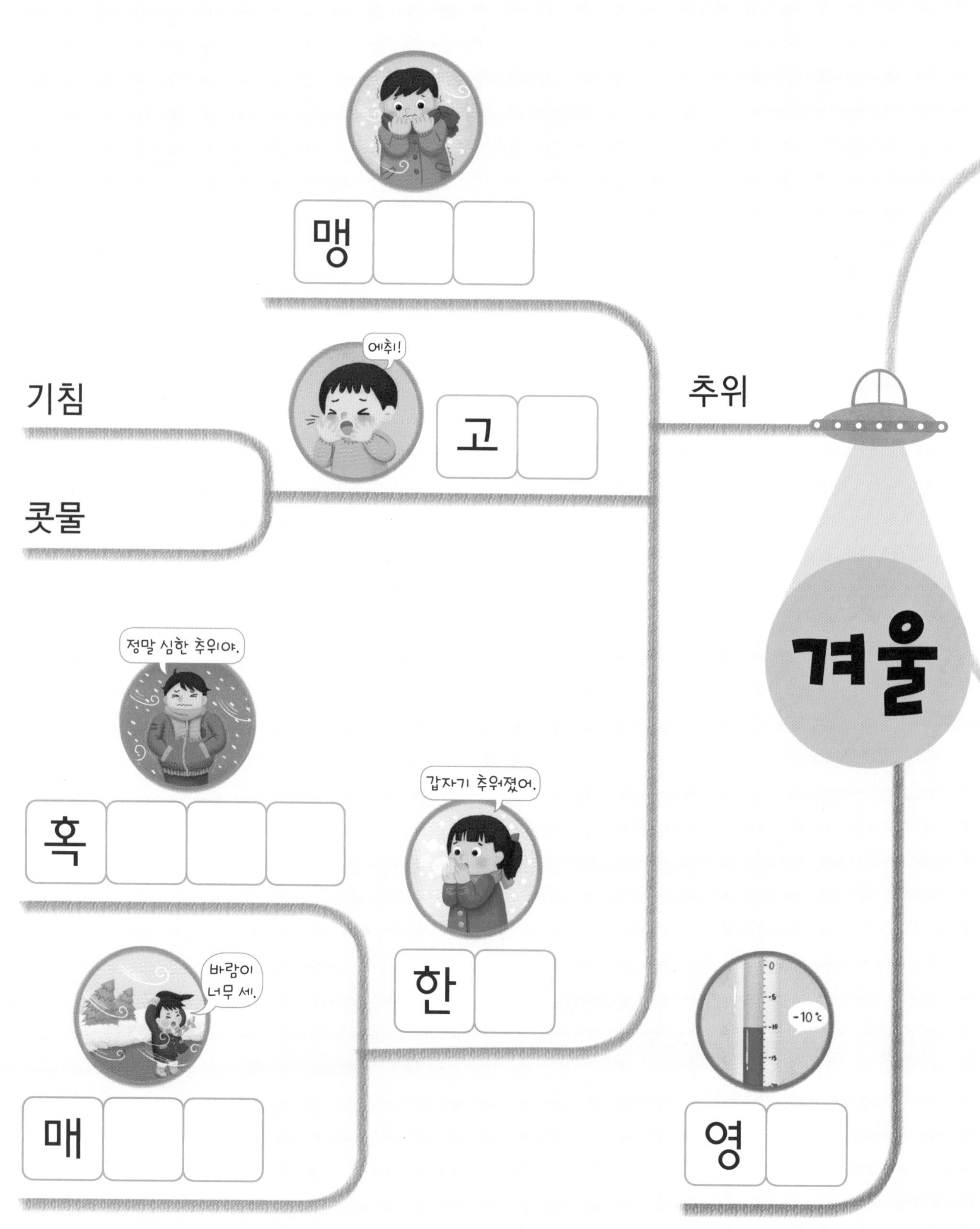

고드름

얼음

빙

함

싸라기눈*

눈

진눈깨비*

대

*싸라기눈: 빗방울이 갑자기 찬 바람을 만나 얼어 떨어지는 쌀알 같은 눈.
*진눈깨비: 비가 섞여 내리는 눈.

어휘 읽기

고뿔
'감기'를 나타내는 말.

대설(大 클 **대** 雪 눈 **설**)
아주 많이 오는 눈.

매섭다
정도가 매우 심하다.

맹(猛 사나울 **맹**)**추위**
매우 심한 추위.

빙판(氷 얼음 **빙** 板 널빤지 **판**)
물이나 눈 등이 얼어서 미끄럽게 된 바닥.

영하(零 영 **영** 下 아래 **하**)
0도 아래의 온도.

한파(寒 찰 **한** 波 물결 **파**)
겨울철에 기온이 갑자기 내려가는 현상.

함박눈
굵고 탐스럽게 내리는 눈.

혹독(酷 심할 **혹** 毒 독 **독**)**하다**
몹시 심하다. 또는 성질이나 하는 행동이 독하고 악하다.

뜻을 읽고, 알맞은 낱말을 찾아 선으로 이으세요.

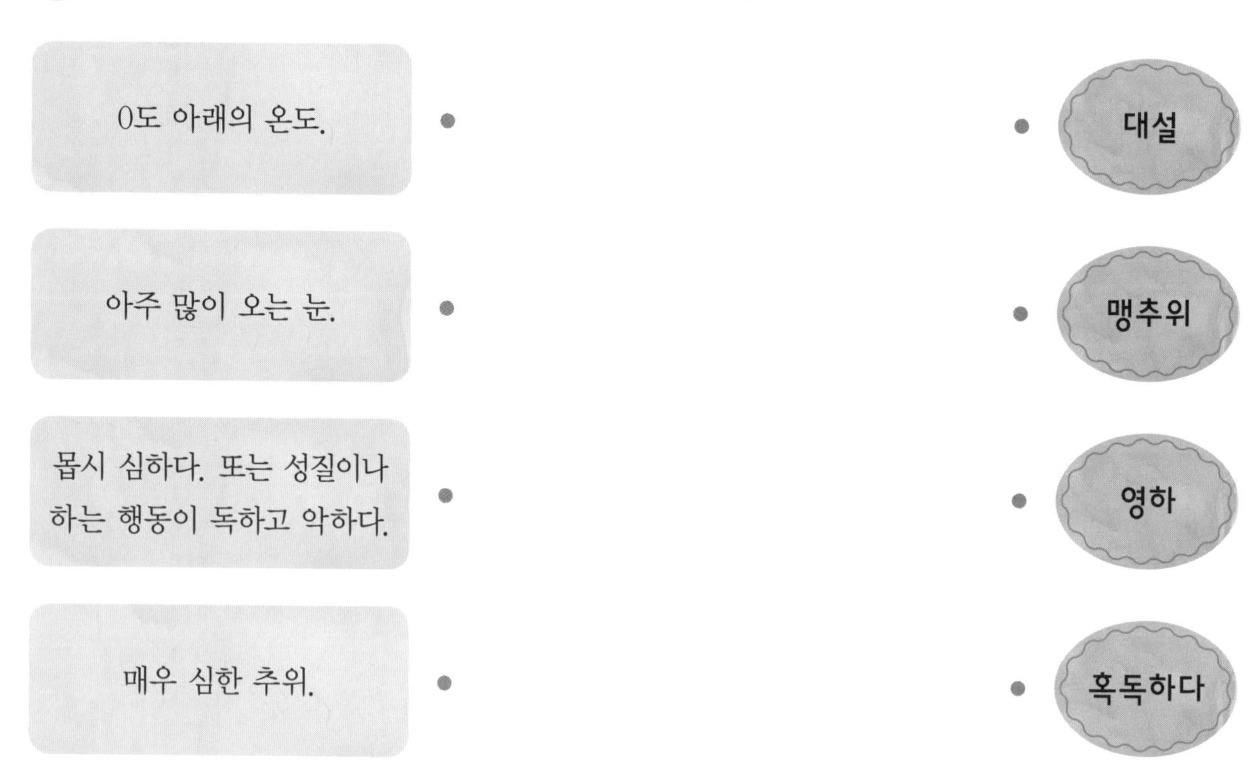

글을 읽고, 바른 문장이 되도록 알맞은 낱말을 보기 에서 찾아 빈칸에 쓰세요.

보기	고뿔	매서운	함박눈	한파	빙판

① [　　　　] 이 펑펑 내려서 세상이 하얗게 바뀌었어요.

② 겨울에 길을 가다가 [　　　　] 에 미끄러져 크게 넘어지고 말았어요.

③ [　　　　] 가 몰려와서 옷을 여러 겹 단단히 껴입고 나왔어요.

④ [　　　　] 추위에 길바닥이 꽁꽁 얼어붙었어요.

⑤ 할머니께서 [　　　　] 에 들지 않게 조심하라고 말씀하셨어요.

연상 어휘

그림을 보고, 떠오르는 낱말을 보기 에서 찾아 빈칸에 쓰세요.

보기 얼다 고드름

한자어

'빙(氷)'과 '설(雪)'의 뜻을 읽고, 알맞은 낱말을 보기 에서 찾아 빈칸에 쓰세요.

보기 폭설 빙하 빙수 설원

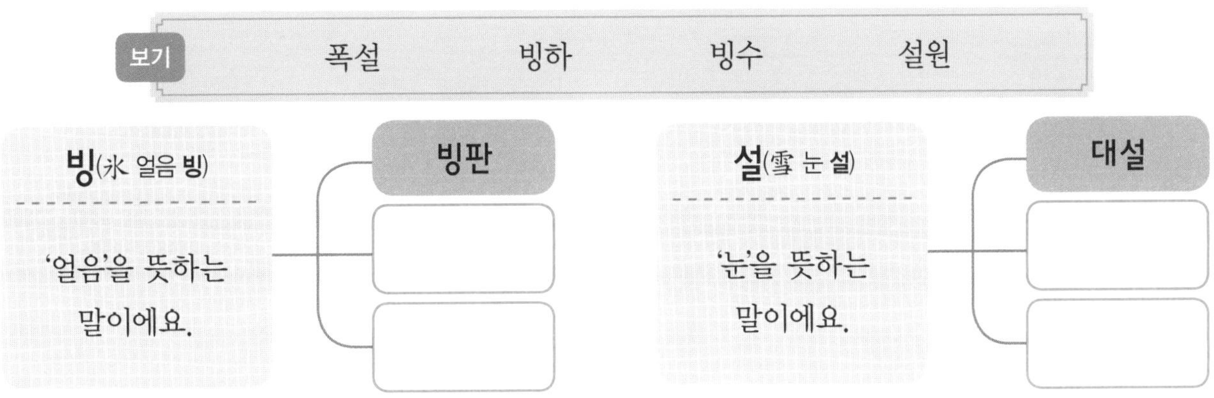

* '설원'은 '눈이 덮인 벌판'을 뜻해요.

사자성어

만화를 보고, 상황에 맞는 말이 되도록 ? 안에 알맞은 흐린 글자를 따라 쓰세요.

▶사자성어 '삼한사온'은 7일을 주기로 '3일 동안 춥고 4일 동안 따뜻한 날씨'를 뜻해요.

스스로 평가

국어 뜻을 읽고, 알맞은 낱말과 그 낱말이 들어갈 문장을 찾아 선으로 이으세요.

더위나 추위가 심한 때 정해진 기간 동안 수업을 쉬는 일.	가을에 익은 곡식을 거두어들임.	'감기'를 나타내는 말.	길을 가는 중간, 또는 일이 계속되고 있는 과정이나 일의 중간.

학원을 가는 ( )에 친구를 만났어요.

논에는 ( )가 한창이에요.

시험이 끝나자 긴 ( )이 시작되었어요.

옷을 얇게 입어서 ( )에 걸렸어요.

수학 낱말을 읽고, 알맞은 뜻을 찾아 선으로 이으세요.

- 한데 합하여 계산하여 나온 수.
- 종류에 따라서 가름.
- 일정한 차례나 간격에 따라 벌여 놓음.

수학 글을 읽고, (   ) 안에 들어갈 알맞은 낱말을 찾아 선으로 이으세요.

- 승원이는 동생과 키를 (   )해 보았어요. ● ● 비교
- 진우는 우체국 반대 (   )으로 걷기 시작했어요. ● ● 방향

*'비교'는 '둘 이상의 사물을 견주어 비슷한 점, 다른 점 등을 살피는 일'을, '방향'은 '어떤 위치를 향한 쪽'을 뜻해요.

통합교과 뜻을 읽고, 알맞은 낱말을 **보기** 에서 찾아 빈칸에 쓰세요.

보기 황사 함박눈 꽃샘추위

① 중국 사막이나 황토 지역의 가는 모래가 강한 바람에 날아올랐다가 조금씩 내려오는 것. ··········· [   ]

② 굵고 탐스럽게 내리는 눈. ··········· [   ]

③ 이른 봄, 꽃이 필 무렵의 추위. ··········· [   ]

통합교과 글을 읽고, 바른 문장이 되도록 알맞은 낱말을 보기 에서 찾아 쓰세요.

보기 마스크 허수아비 일기 예보 행사 야외

① 가을이 되자 마을에서 여러 가지 [ ]가 열렸어요.

② 날씨가 좋아서 선생님과 아이들이 모두 [ ]로 소풍을 나갔어요.

③ [ ]를 보고 저녁에 비가 온다는 것을 알았어요.

④ 외출할 때 [ ]를 쓰면 감기를 예방할 수 있어요.

⑤ 막대기에 낡은 옷을 입혀서 사람과 닮은 [ ]를 만들었어요.

* '행사'는 '어떤 일을 실제로 함. 또는 계획에 따라 많은 사람이 모여 치르는 특별하거나 중요한 일'을, '야외'는 '도시의 큰 길거리에서 조금 멀리 떨어져 있는 들판'을 뜻해요.

통합교과 뜻을 읽고, 알맞은 낱말을 찾아 선으로 이으세요.

바깥에서 몸속에 들어온 병균에 약해지지 않고 버티는 힘.	죽부인
대나무로 길고 둥글게 이리저리 엮어 만든 물건. 여름밤에 더위를 쫓기 위해 안고 잠.	이삭
벼, 보리 등의 곡식에서 열매가 수북하게 열리는 부분.	면역력

이야기를 읽고, 물음에 답하세요.

겨울의 한파가 물러가고 새싹들이 하나둘 움트기 시작하는 따뜻한 봄이 왔어요. 논에서는 농부 아저씨가 모내기를 해요. 무더위를 보내고 가을이 오면 무럭무럭 자란 벼가 누렇게 익어 논에 가득할 거예요. 벼가 탐스럽게 열리는 모습을 상상하며 농부 아저씨는 열심히 일을 해요. 올해에는 풍년이 들어 벼를 많이 [?] 할 수 있기를 바란답니다.

1. 뜻을 읽고, 알맞은 낱말을 글 속의 빨간색 낱말 중에서 찾아 빈칸에 쓰세요.

① 기온이 매우 높고 습하여 찌는 듯해 견디기 어려운 더위. ··············· [ ]

② 곡식이 잘 자라고 여물어 보통 때보다 수확이 많은 해. ··············· [ ]

③ 겨울철에 기온이 갑자기 내려가는 현상. ··············· [ ]

2. 글 속의 [?] 안에 알맞은 낱말을 찾아 ○ 하세요.

곡식	대설	수확

스스로 평가

재미난 낱말 퍼즐

아래에 쓰인 뜻을 읽고 알맞은 낱말을 찾아 ○ 하세요.

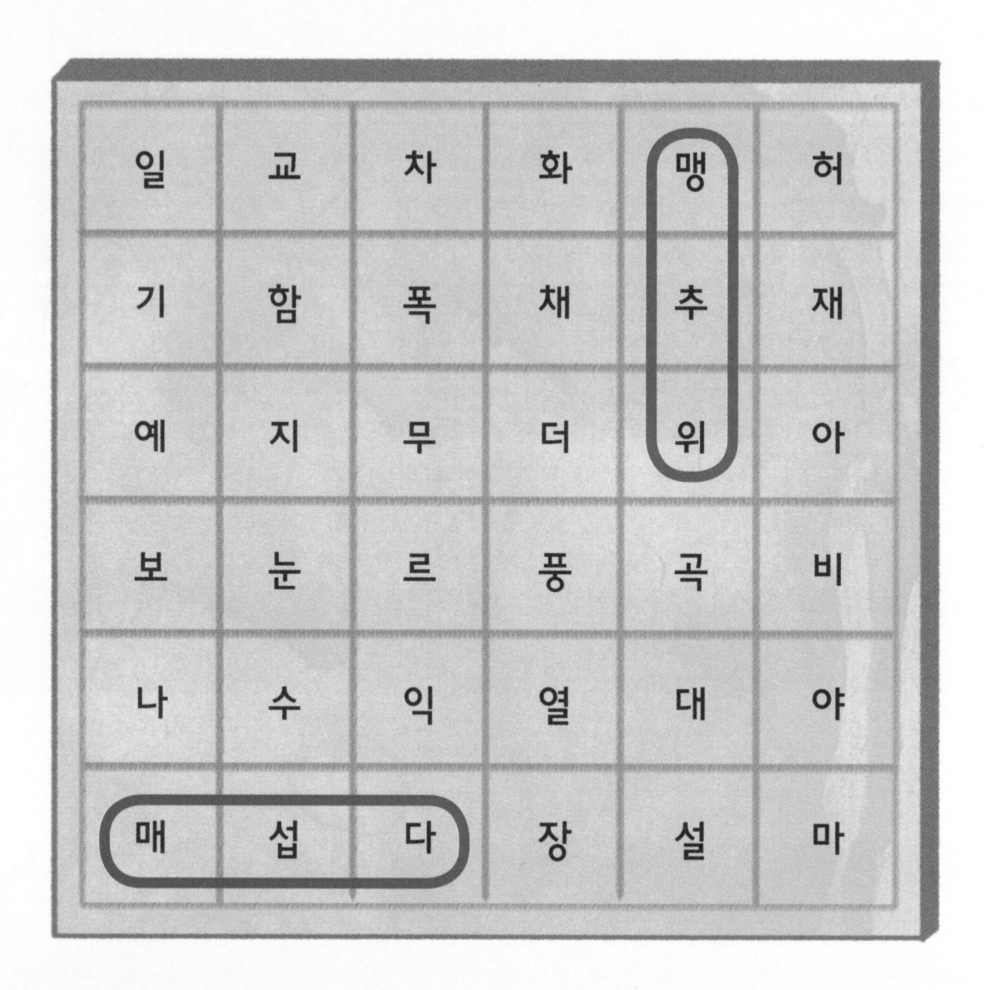

① 정도가 매우 심하다.
② 매우 심한 추위.
③ 기온이 매우 높고 습하여 찌는 듯해 견디기 어려운 더위.
④ 방 바깥의 온도가 25도가 넘는 무더운 밤.
⑤ 날씨의 변화를 짐작하여 미리 알리는 일.
⑥ 아주 많이 오는 눈.
⑦ 과일이나 곡식 등이 충분히 익다.
⑧ 기온, 습도, 기압 등이 하루 동안에 바뀌어 달라지는 차이.

관심 있는 주제를 가운데 동그라미에 쓰고, 어휘들을
자유롭게 적으며 나만의 어휘 그물을 만들어 보세요.

내가 만드는 어휘 그물

4주

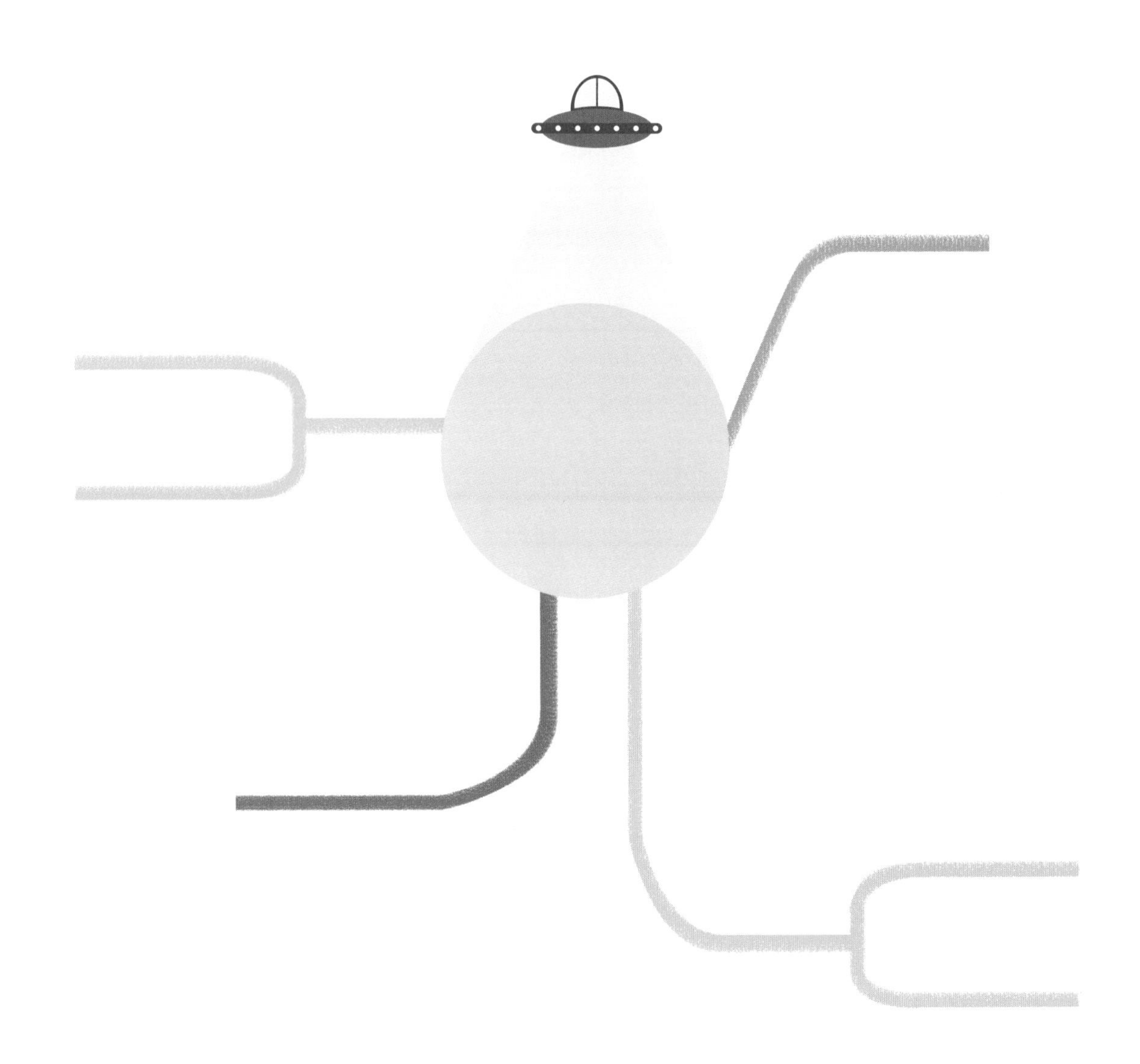

초등 교과 연계표

>> 〈1일 10분 초등 메가 어휘력〉은 초등 주요 교과에서 뽑은 어휘들과 교과 학습에 도움이 되는 어휘들로 이루어져 있습니다.

1주

일	주제	교과 및 연계 단원	
1	나	**국어 2-2** ㉮ 6. 자세하게 소개해요 **국어 2-2** ㉯ 7. 일이 일어난 차례를 살펴요	**통합교과 봄 2-1** 1. 알쏭달쏭 나 **통합교과 여름 2-1** 1. 이런 집 저런 집
2	가족	**국어 2-2** ㉯ 8. 바르게 말해요 **국어 2-2** ㉯ 9. 주요 내용을 찾아요	**통합교과 여름 2-1** 1. 이런 집 저런 집
3	학교	**국어 2-2** ㉮ 6. 자세하게 소개해요 **국어 2-2** ㉯ 10. 칭찬하는 말을 주고받아요	**국어 2-2** ㉯ 11. 실감 나게 표현해요 **수학 2-1** 1. 세 자리 수
4	친구	**국어 2-1** ㉮ 3. 마음을 나누어요 **국어 2-1** ㉮ 5. 낱말을 바르고 정확하게 써요	**국어 2-1** ㉯ 7. 친구들에게 알려요 **국어 2-1** ㉯ 10. 다른 사람을 생각해요
5	어휘 복습	**국어 2-2** ㉮ 6. 자세하게 소개해요 **국어 2-2** ㉯ 8. 바르게 말해요	**수학 2-2** 1. 네 자리 수 **수학 2-2** 6. 규칙 찾기

2주

일	주제	교과 및 연계 단원	
1	예절	**국어 2-2** ㉯ 8. 바르게 말해요 **통합교과 가을 2-2** 1. 동네 한 바퀴	**통합교과 겨울 2-2** 1. 두근두근 세계 여행
2	우리 동네	**국어 2-2** ㉮ 1. 장면을 떠올리며 **국어 2-2** ㉯ 7. 일이 일어난 차례를 살펴요	**통합교과 가을 2-2** 1. 동네 한 바퀴
3	명절	**국어 2-2** ㉮ 5. 간직하고 싶은 노래 **국어 2-2** ㉯ 11. 실감 나게 표현해요	**통합교과 가을 2-2** 2. 가을아 어디 있니
4	우리나라	**국어 2-2** ㉮ 6. 자세하게 소개해요 **국어 2-2** ㉯ 7. 일이 일어난 차례를 살펴요	**통합교과 가을 2-2** 1. 동네 한 바퀴
5	어휘 복습	**국어 2-2** ㉮ 1. 장면을 떠올리며 **국어 2-2** ㉮ 2. 인상 깊었던 일을 써요 **국어 2-2** ㉮ 3. 말의 재미를 찾아서	**국어 2-2** ㉯ 7. 일이 일어난 차례를 써요 **수학 2-2** 1. 네 자리 수

3주 일	주제	교과 및 연계 단원	
1	성격과 감정	국어 1-2 가 3. 문장으로 표현해요 국어 1-2 나 7. 무엇이 중요할까요	국어 2-1 가 1. 시를 즐겨요 국어 2-2 나 8. 바르게 말해요
2	우정	국어 1-2 가 2. 소리와 모양을 흉내 내요 국어 1-2 나 9. 겪은 일을 글로 써요	국어 2-1 가 3. 마음을 나누어요 국어 2-1 나 8. 마음을 짐작해요
3	대화	국어 1-1 가 2. 재미있게 ㄱ ㄴ ㄷ 국어 1-1 나 7. 생각을 나타내요	국어 1-2 가 4. 바른 자세로 말해요 국어 2-1 나 11. 상상의 날개를 펴요
4	친척	국어 2-1 가 5. 낱말을 바르고 정확하게 써요 국어 2-2 나 8. 바르게 말해요 수학 2-1 4. 길이 재기	통합교과 여름 1-1 1. 우리는 가족입니다 통합교과 봄 2-1 1. 알쏭달쏭 나
5	어휘 복습	국어 2-1 나 7. 친구들에게 알려요 국어 2-1 나 10. 다른 사람을 생각해요 수학 2-1 2. 여러 가지 도형	수학 2-1 3. 덧셈과 뺄셈 통합교과 봄 2-1 1. 알쏭달쏭 나 통합교과 봄 2-1 2. 봄이 오면

4주 일	주제	교과 및 연계 단원	
1	봄	국어 2-1 나 11. 상상의 날개를 펴요 국어 2-2 나 7. 일이 일어난 차례를 살펴요	통합교과 봄 2-1 2. 봄이 오면 통합교과 겨울 2-2 2. 겨울 탐정대의 친구 찾기
2	여름	수학 2-2 4. 시각과 시간 통합교과 여름 2-1 2. 초록이의 여름 여행	통합교과 겨울 2-2 1. 두근두근 세계 여행
3	가을	국어 2-2 가 1. 장면을 떠올리며 국어 2-2 나 7. 일이 일어난 차례를 살펴요	통합교과 가을 2-2 2. 가을아 어디 있니
4	겨울	국어 2-1 가 6. 차례대로 말해요 통합교과 겨울 2-2 1. 두근두근 세계 여행	통합교과 겨울 2-2 2. 겨울 탐정대의 친구 찾기
5	어휘 복습	국어 2-2 나 10. 칭찬하는 말을 주고받아요 수학 2-2 3. 길이 재기	수학 2-2 5. 표와 그래프 통합교과 가을 2-2 2. 가을아 어디 있니

1주 정답

1일

8~9쪽

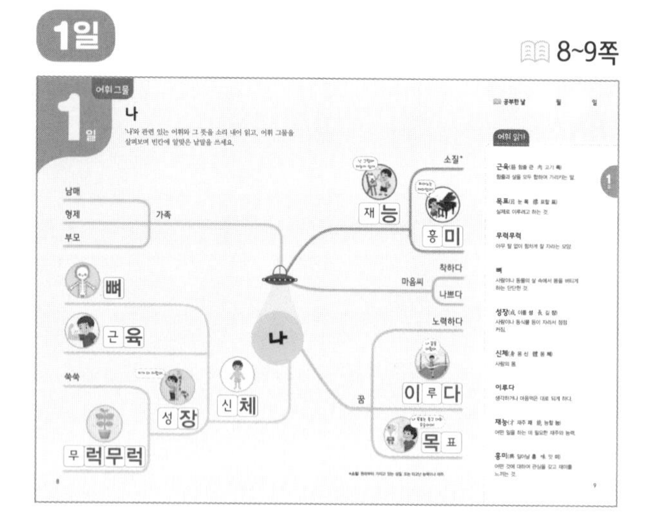

10~11쪽

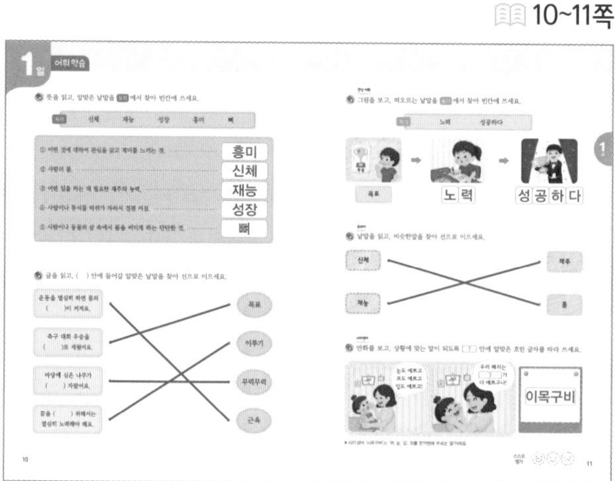

2일

12~13쪽

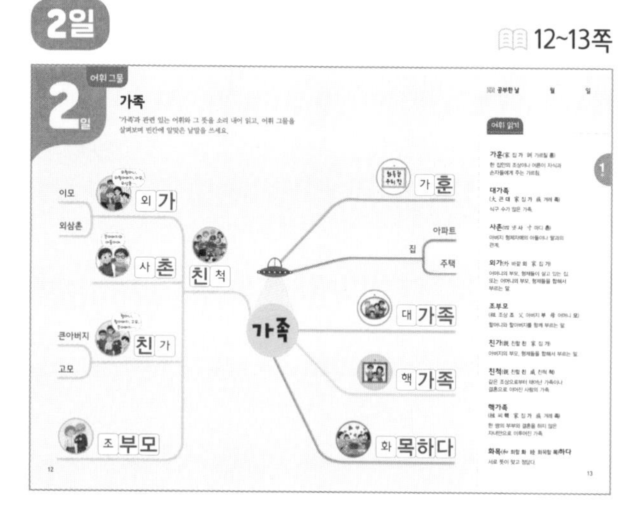

14~15쪽

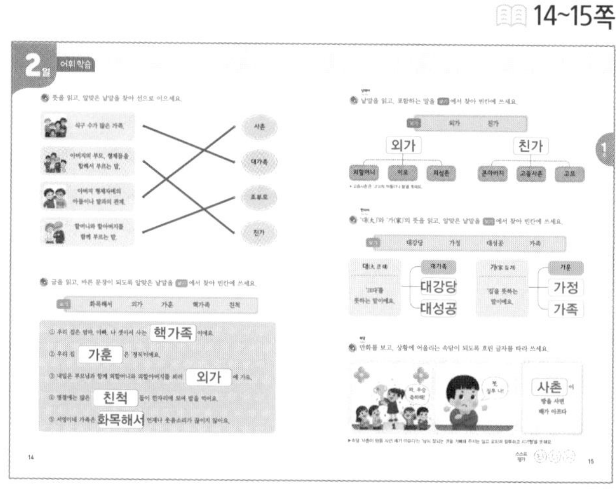

3일

16~17쪽

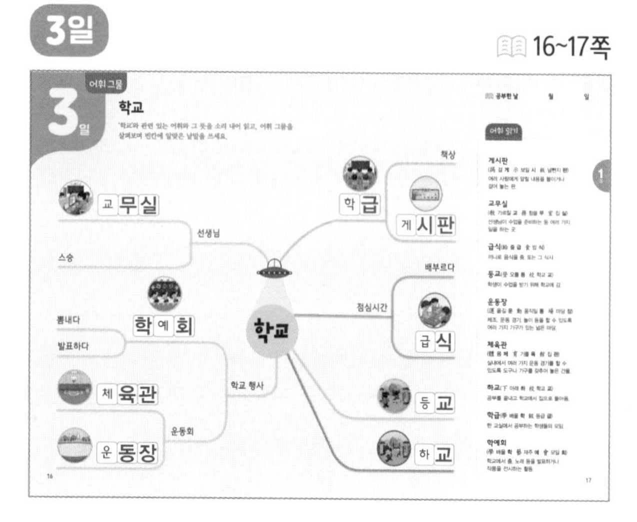

18~19쪽

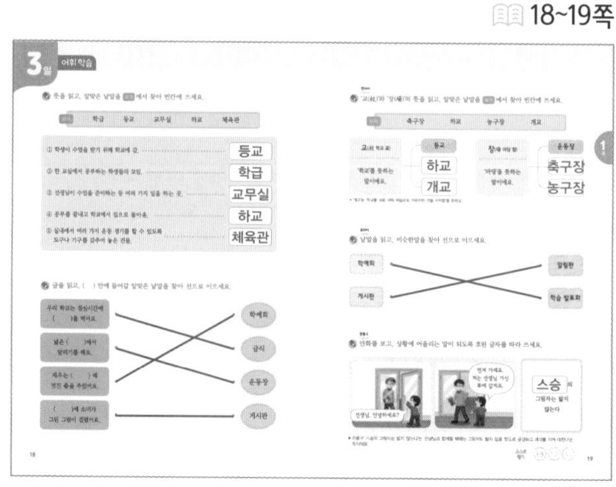

4일

20~21쪽

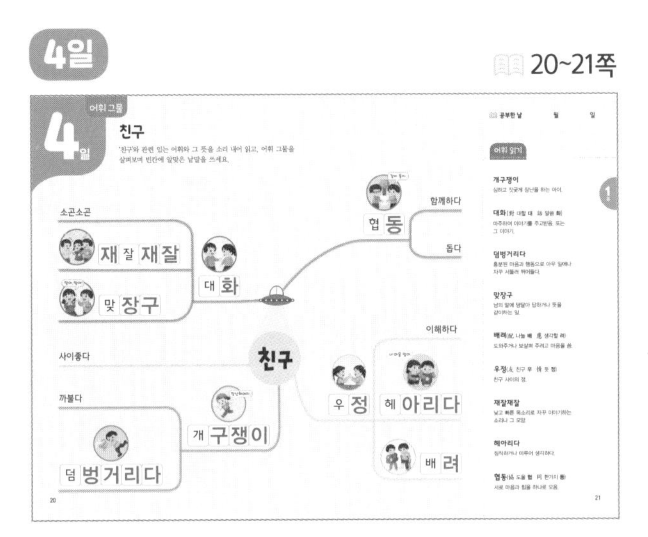

22~23쪽

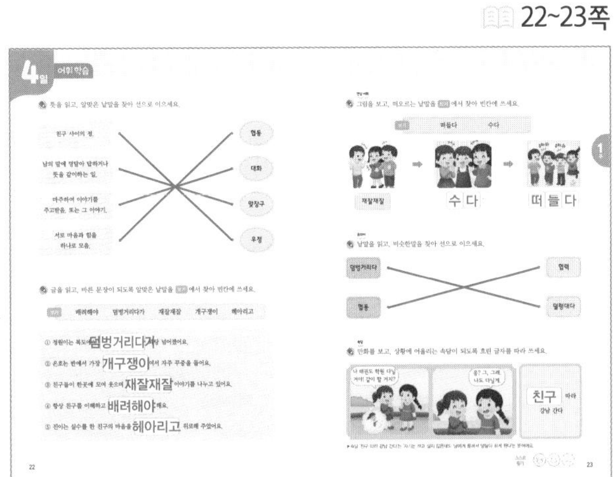

5일

24~25쪽

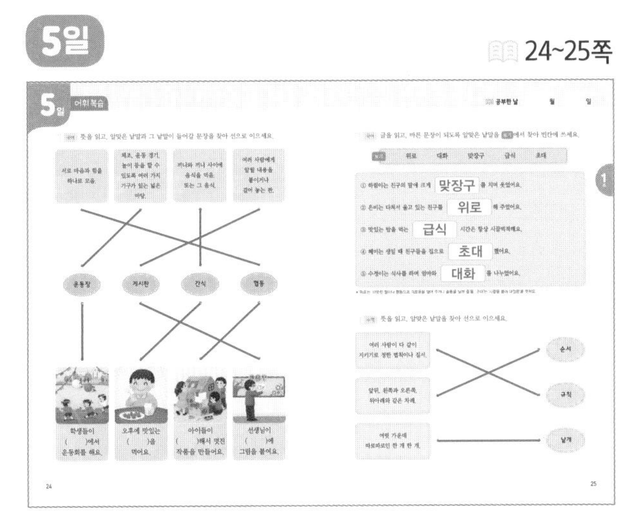

26~27쪽

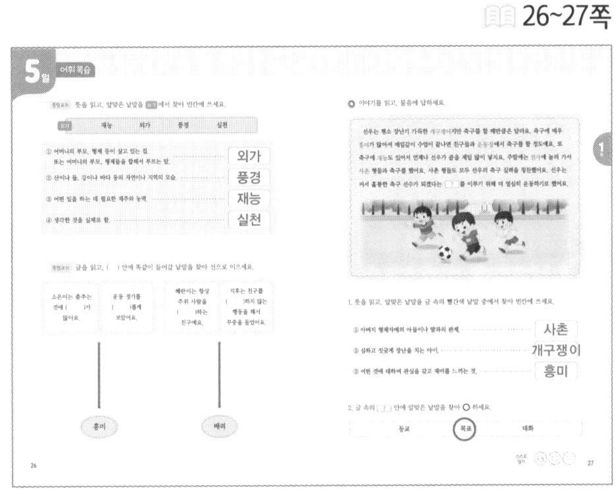

28쪽

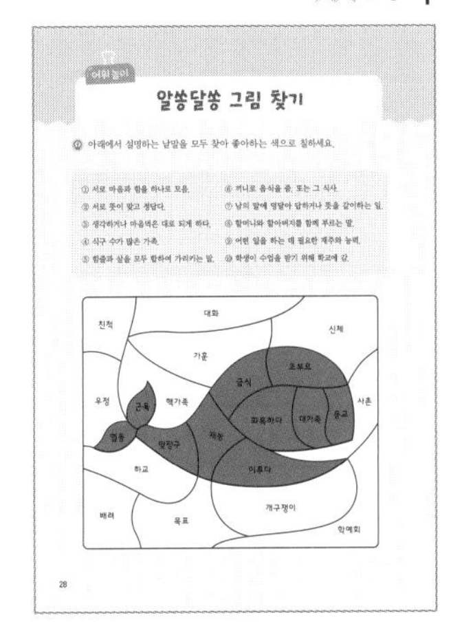

1일

32~33쪽

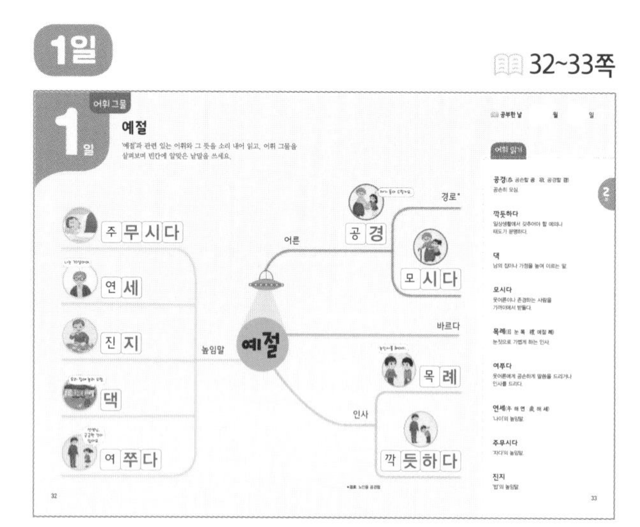

34~35쪽

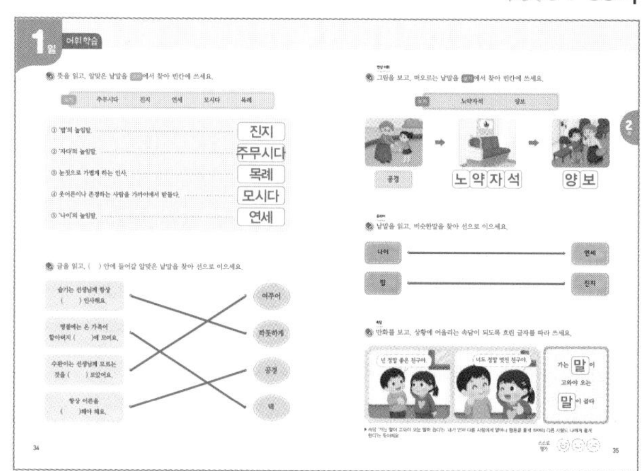

2일

36~37쪽

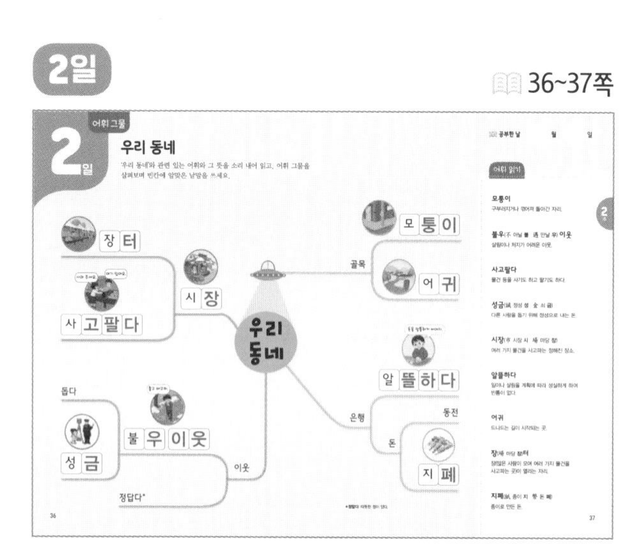

38~39쪽

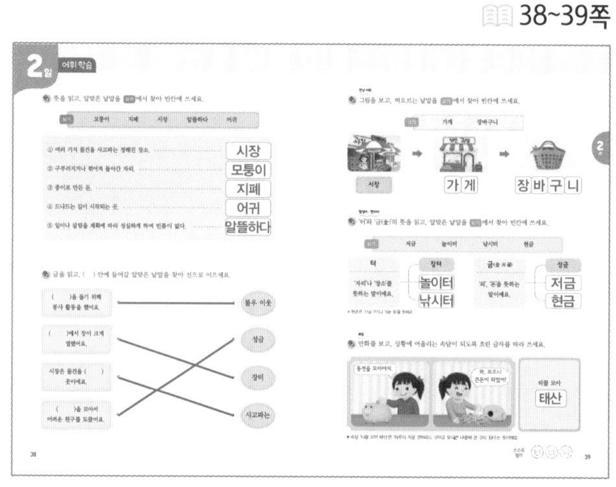

3일

40~41쪽

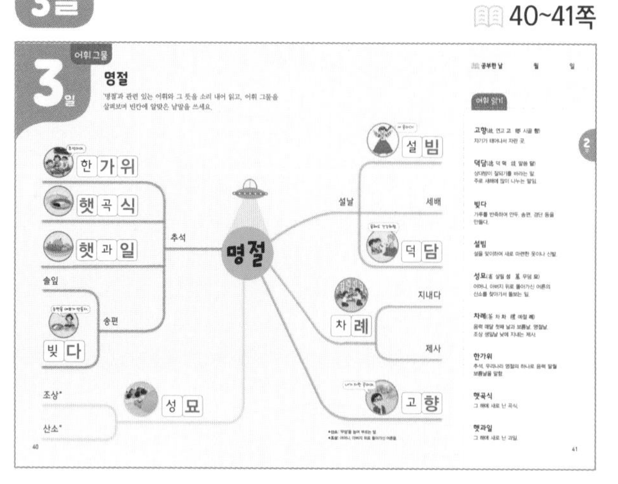

42~43쪽

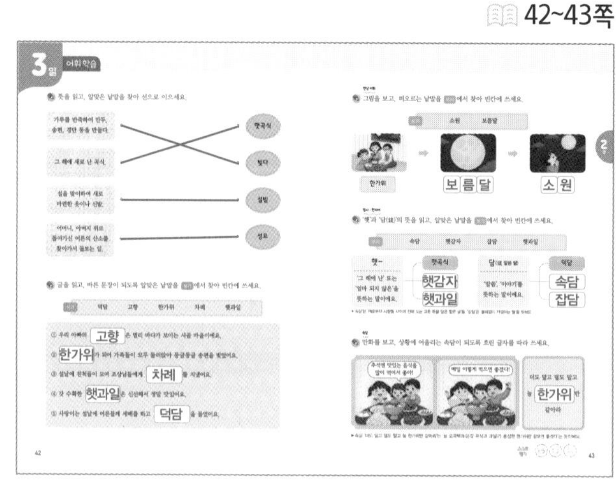

4일

44~45쪽

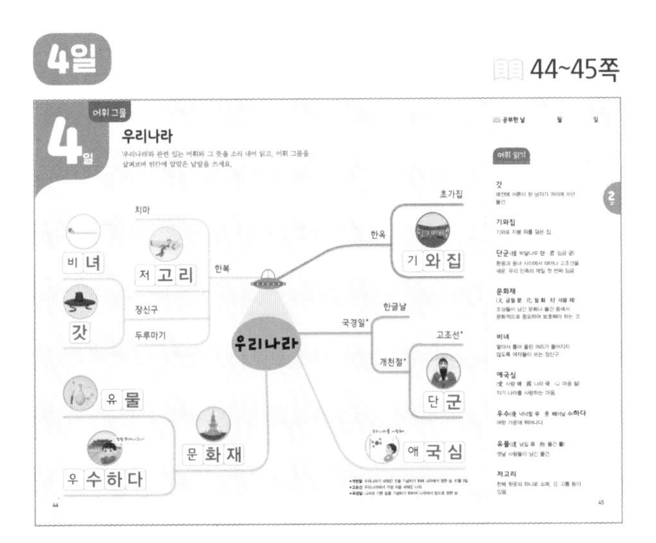

46~47쪽

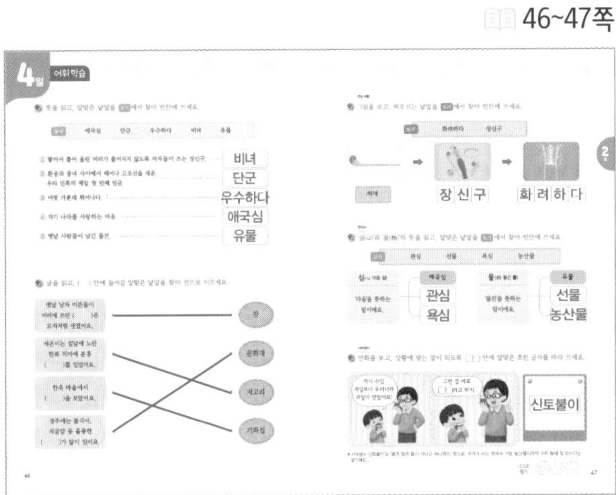

5일

48~49쪽

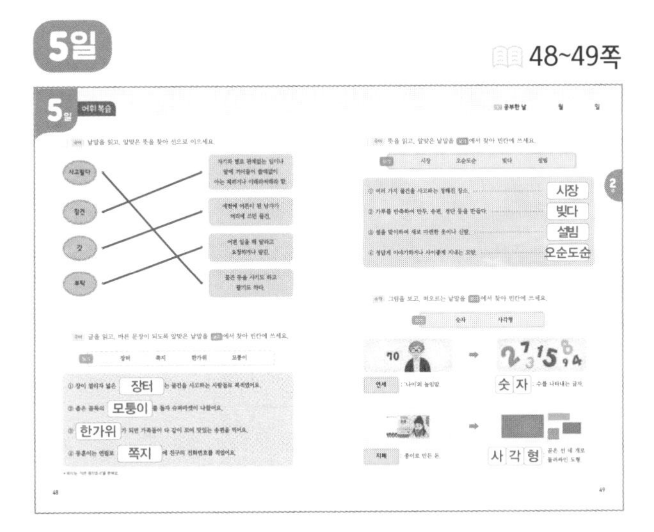

50~51쪽

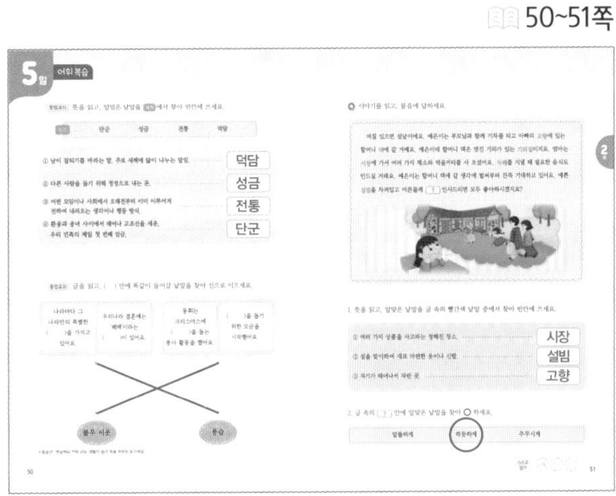

52쪽

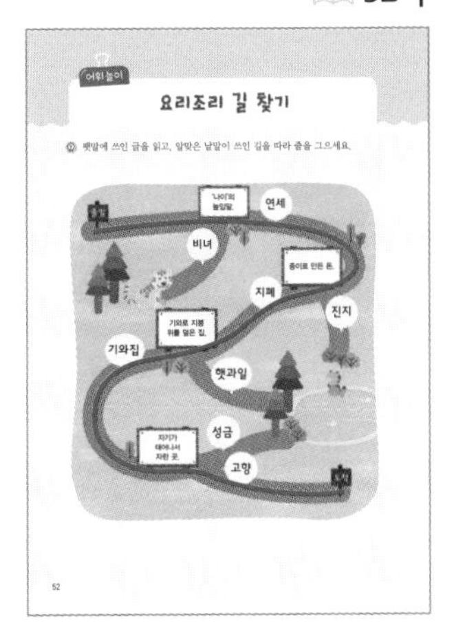

1일

56~57쪽

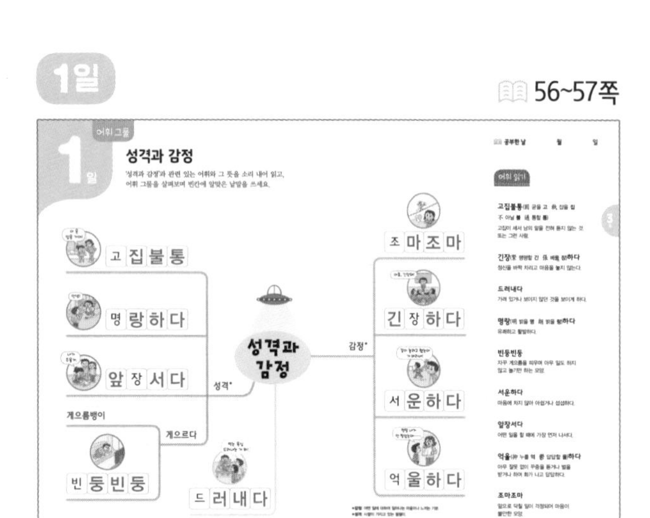

58~59쪽

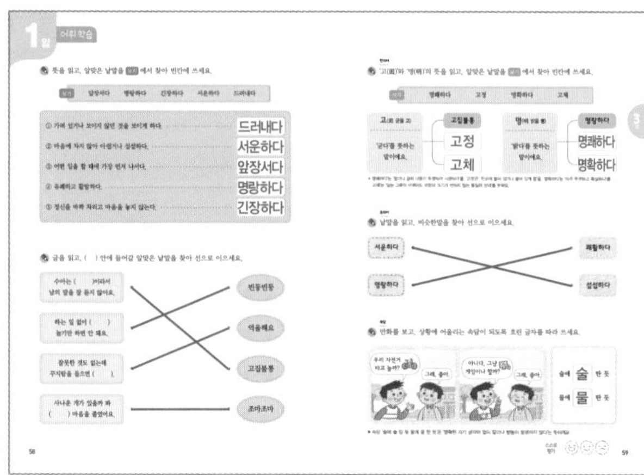

2일

60~61쪽

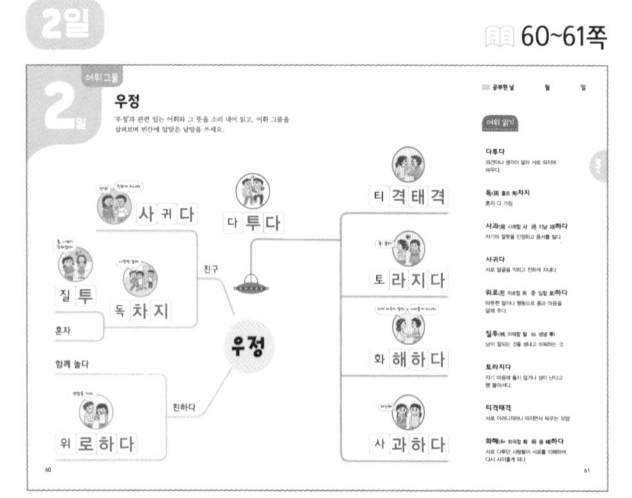

62~63쪽

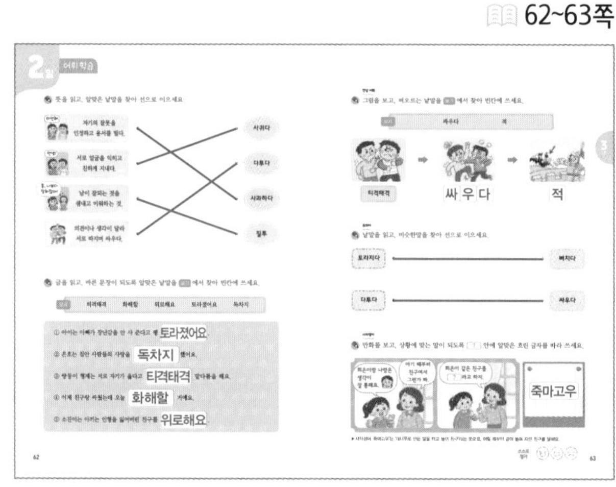

3일

64~65쪽

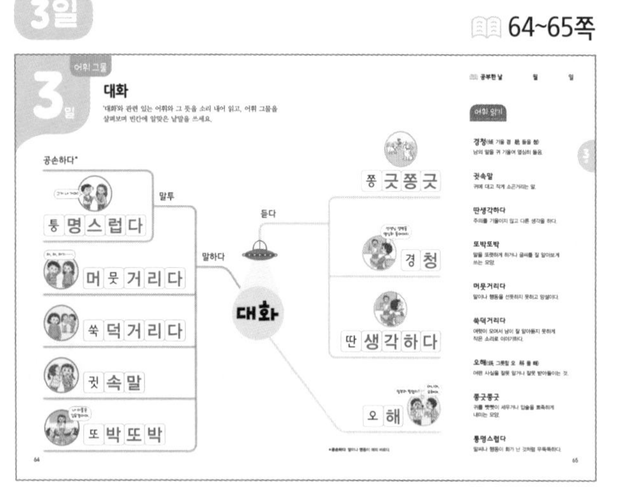

66~67쪽

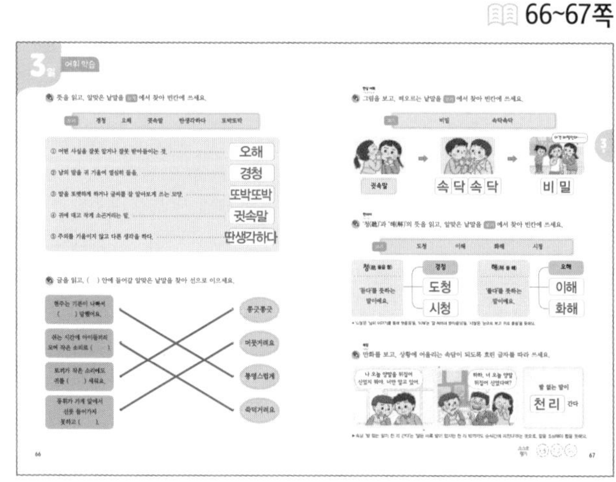

4일

68~69쪽

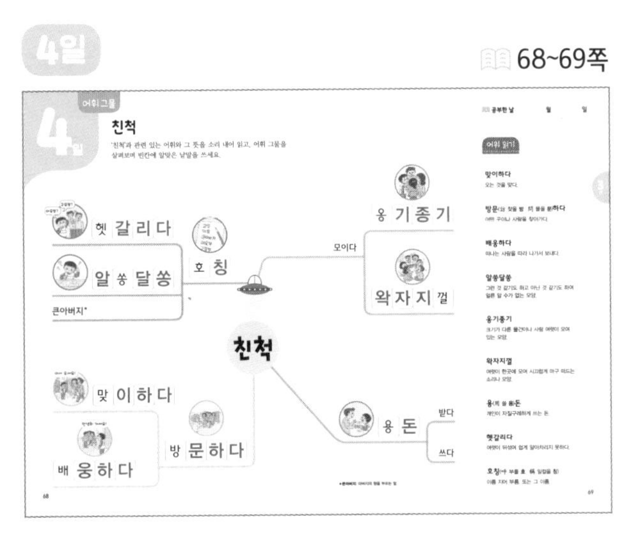

70~71쪽

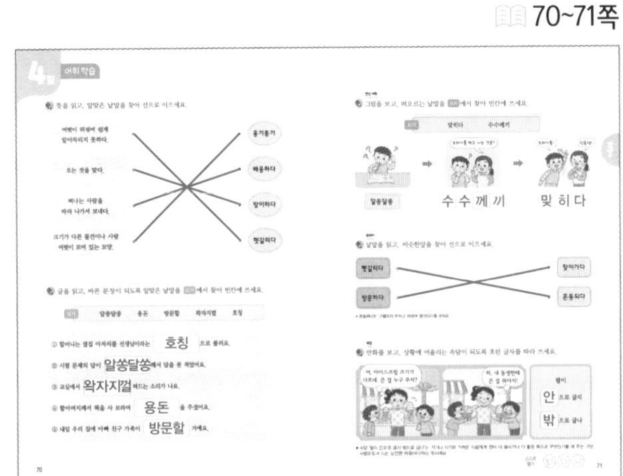

5일

72~73쪽

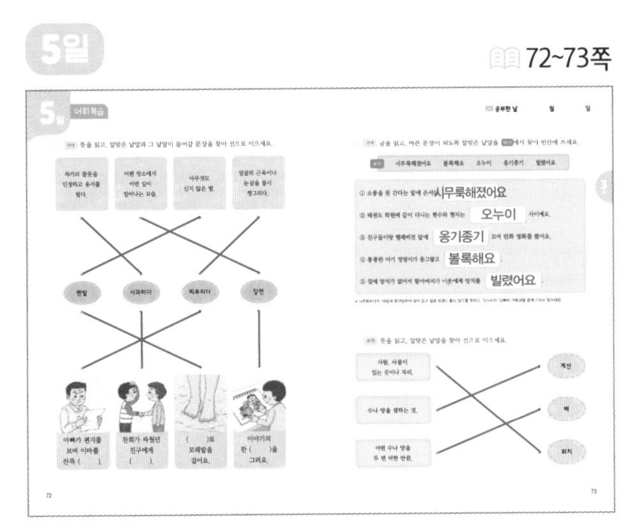

74~75쪽

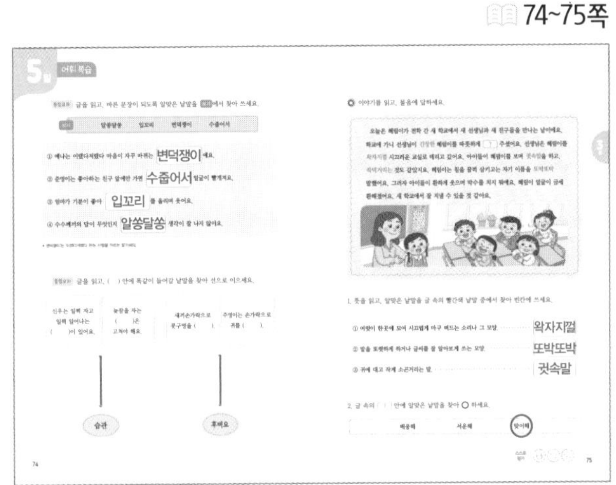

76쪽

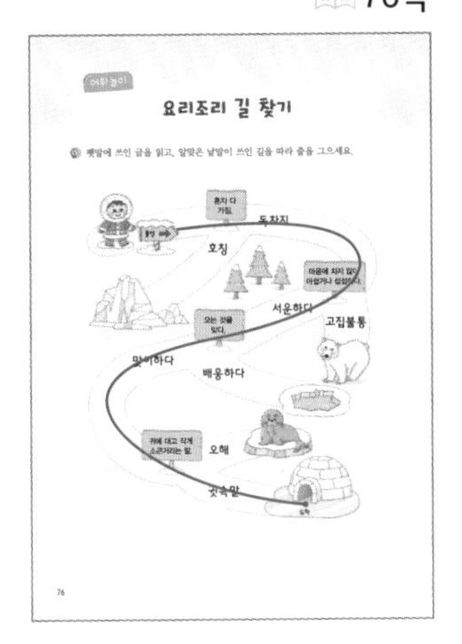

1일

80~81쪽

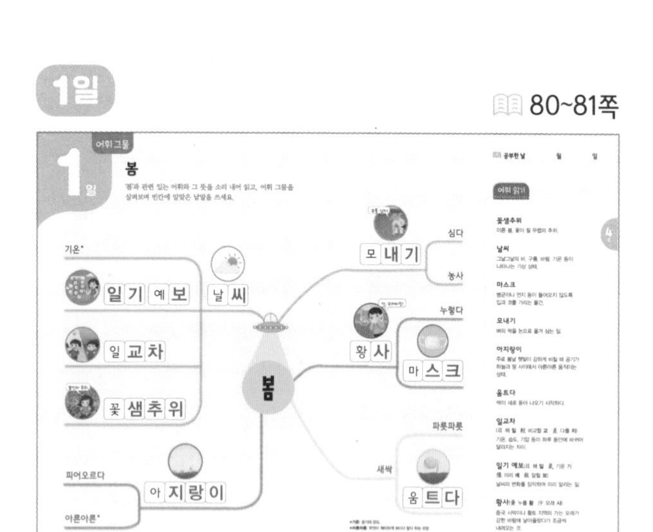

82~83쪽

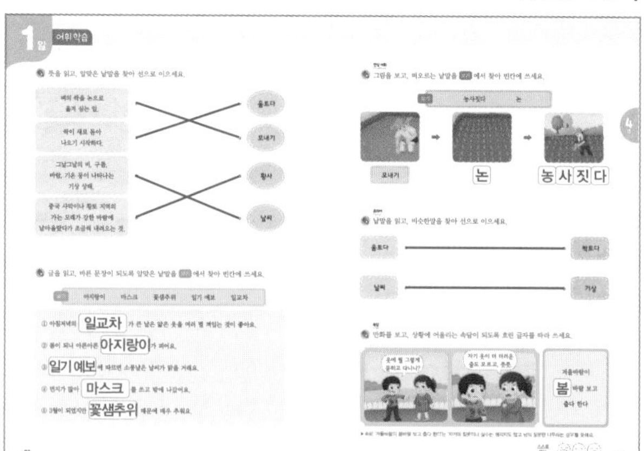

2일

84~85쪽

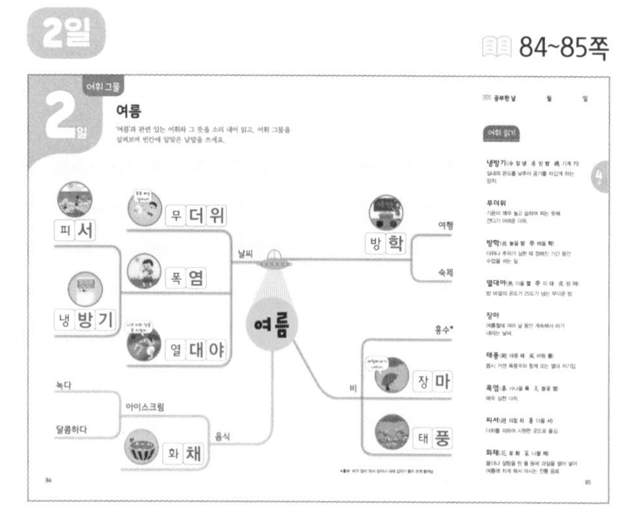

86~87쪽

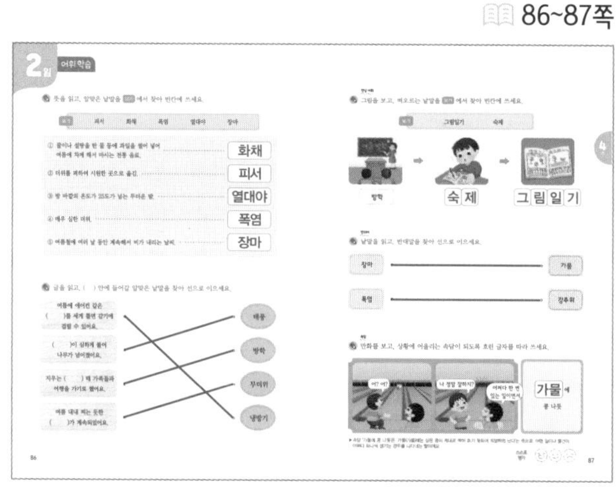

3일

88~89쪽

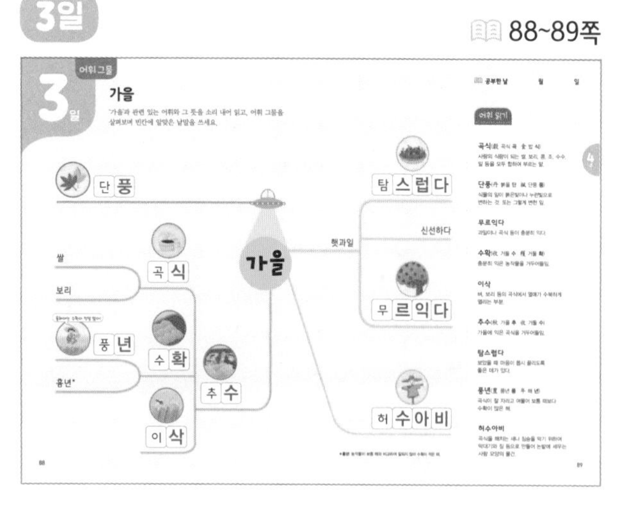

90~91쪽

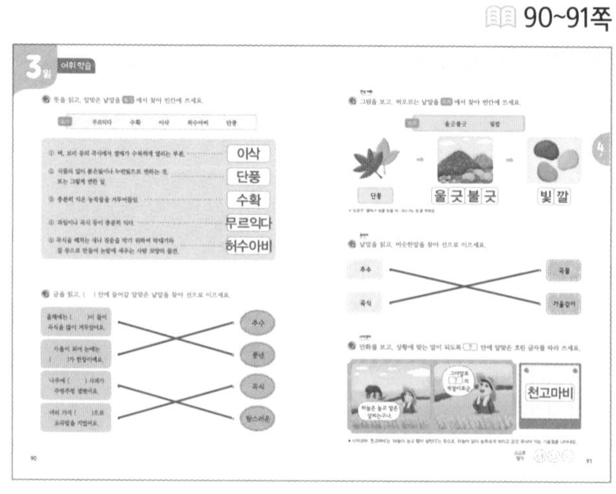

4일

92~93쪽

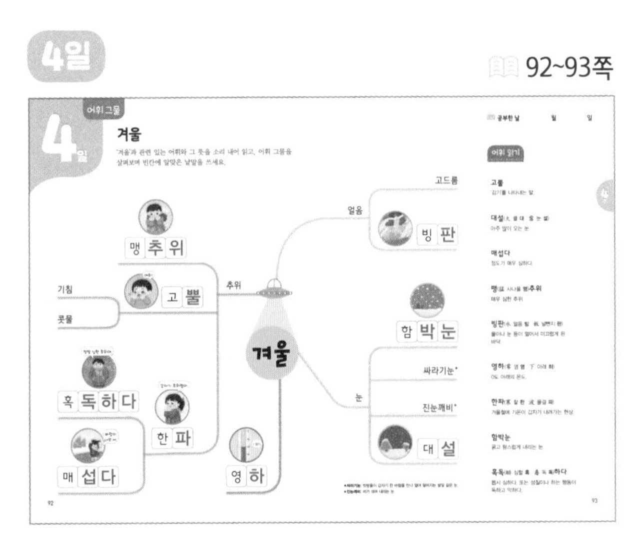

94~95쪽

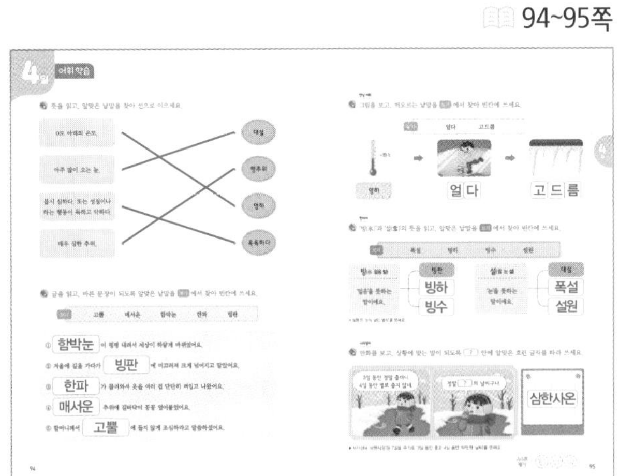

5일

96~97쪽

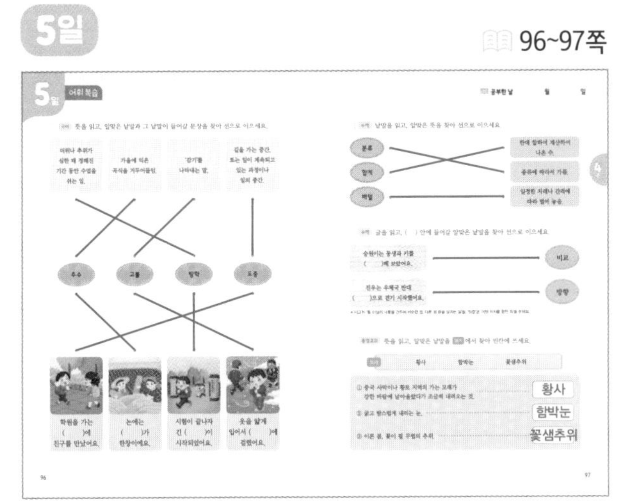

98~99쪽

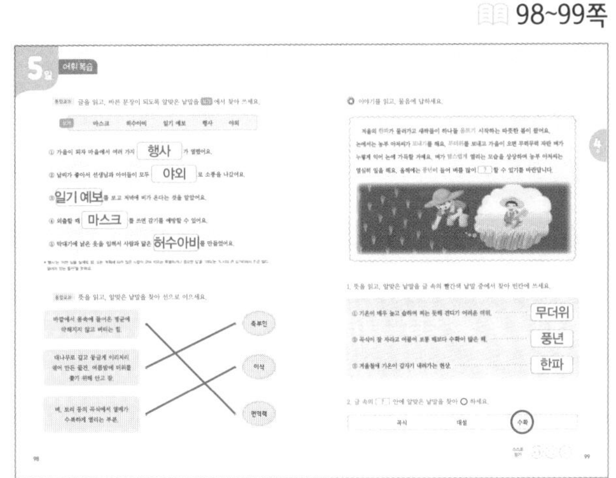

100쪽

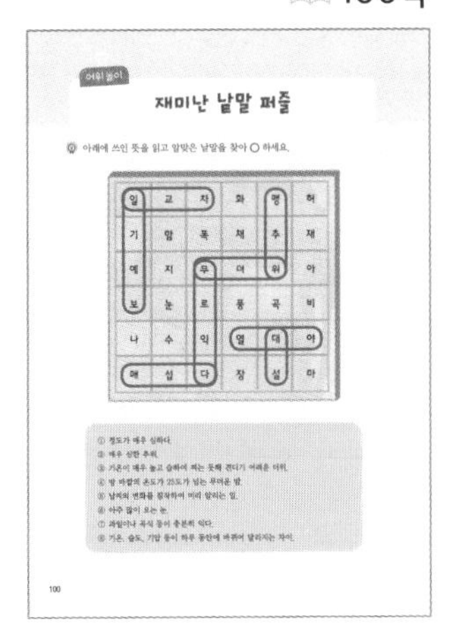

초등 메가 어휘력 어휘 주제표

예비 초등

구분	1권	2권	3권
1주	나	동물	신체
	가족	식물	얼굴
	유치원	음악	감정
	친구	미술	식사
2주	옷	일기 예보	운동회
	건강	무더위	놀이
	생활 도구	바다	놀이공원
	우리 동네	눈	여행
3주	건강한 생활	농장	운동 경기
	병원	농부	교통
	청소	직업	안전
	집	이웃	시간
4주	봄	명절	하루
	여름	예절	일기
	가을	우리나라	학교
	겨울	세계	옛이야기

초등

구분	초등 1~2학년			초등 3~4학년		
	1권	2권	3권	4권	5권	6권
1주	나	동물	방학	나	문학	한글
	가족	식물	편지	집	민주주의	일
	학교	곤충	공연	자연환경	날씨	공공 기관
	친구	질병	체험	전통 음식	문화유산	회의
2주	예절	시간	도서관	언어	시	쓰레기
	우리 동네	옛날	박물관	고장	명절	갯벌
	명절	환경	공룡	물질	환경 오염	자연재해
	우리나라	우주	자동차	교통과 통신	소설	전쟁
3주	성격과 감정	도구	바느질	측정	감각	물체
	우정	음악	요리	지도	경제	자석
	대화	미술	반려동물	지각	희곡	달
	친척	세계	장마	가족 행사	우주	과학자
4주	봄	농사	물놀이	가정	위인	여가
	여름	조상	자전거	음식	전통	배
	가을	작은 동물	낚시	절약	국가	교통사고
	겨울	화재	등산	의사소통	올림픽	에너지